FAKIR BRASILEIRO

ver!ssimas

ver!ssimas

Frases, reflexões e sacadas sobre quase tudo

LUIS FERNANDO VERISSIMO

Organização
Marcelo Dunlop
Seleção de ilustrações
Fernanda Verissimo e Fraga

OBJETIVA

Copyright © 2016 by Luis Fernando Verissimo

Grafia atualizada segundo o Acordo Ortográfico da Língua Portuguesa de 1990, que entrou em vigor no Brasil em 2009.

Capa
Alceu Chiesorin Nunes, com escultura de Ricardo Leite e ilustração do autor

Preparação
Eduardo Rosal

Revisão
Carmen T. S. Costa
Adriana Bairrada

Dados Internacionais de Catalogação na Publicação (CIP)
(Câmara Brasileira do Livro, SP, Brasil)

Verissimo: Luis Fernando, 1936-
 Veríssimas frases, reflexões e sacadas sobre quase tudo / Luis Fernando Verissimo ; organização Marcelo Dunlop ; seleção de ilustrações Fernanda Verissimo e Fraga. — 1ª ed. — Rio de Janeiro : Editora Objetiva, 2016.

 ISBN 978-85-470-0019-6

 1. Contos brasileiros 2. Frases 3. Literatura brasileira – Coletâneas 4. Pensamentos – Aforismos – Máximas I. Dunlop, Marcelo. II. Verissimo, Fernanda. III. Fraga. IV. Título.

16-06367   CDD-808.882

Índice para catálogo sistemático:
1. Frases : Coletâneas : Literatura   808.882

[2016]
Todos os direitos desta edição reservados à
EDITORA SCHWARCZ S.A.
Praça Floriano, 19 — Sala 3001
20031-050 — Rio de Janeiro — RJ
Telefone: (21) 2199-7824
Fax: (21) 2199-7825
www.objetiva.com.br

Etc.

Do "Abacaxi" ao "Zodíaco"

Considerando que Luis Fernando Verissimo é pai do Analista de Bagé e avô do Analista de Viena — *A mãe do Freud*, afinal, é um dos seus rebentos literários —, era de se esperar que o modesto torcedor do Internacional fosse um dos maiores conhecedores da alma humana e que este compêndio de frases, pensamentos e desenhos que o afortunado leitor tem agora em mãos seja uma obra da mesma magnitude da Bíblia, de *A interpretação dos sonhos* ou, por último, mas não menos importante, de *Das Psychoanalytiker von Bagé und andere geschichten* (*O analista de Bagé e outras crônicas*).

Acha que exagero? De fato, colocar as sagradas escrituras, os insights do Sigmund e os joelhaços literários do douto bageense no mesmo nível das sacadas do Verissimo talvez seja forçação de barra. Sobre o autor da Bíblia, Verissimo tem a vantagem de não ser brasileiro (é gaúcho), o que o leva a encarar a realidade sem as vicissitudes do olhar nacional. Sobre o autor de *A interpretação dos sonhos*, Verissimo tem a vantagem de um século, o que lhe permite não só ver o mundo em cores (até 1960, como se sabe, o mundo era em preto e branco) como conhecer, entre outros fatos, o resultado de todos os Grenais ocorridos desde a morte do doutor, em 1939. E sobre os escritos do Analista de Bagé, bom, são de autoria do próprio Verissimo, o que faz com que a disputa entre os dois (ele e ele mesmo) termine, sem dúvida, num vitorioso empate.

Do "Abacaxi" ao "Zodíaco", da "Baleia" ao "Xixi", do "Cinismo" ao "Wassabi", *Ver!ssimas* é um inventário tão vasto do que há entre o céu e a terra que se um dia você estiver, sei lá, refogando uns legumes na cozinha, um óvni pousar no seu quintal e um ET te pedir uma obra de referência sobre os terráqueos, não titubeie; entregue este livro na mão dele e continue a refogar legumes com a certeza de que os extraterrestres levarão consigo um retrato amplo, geral e irrestrito de nossa tragicômica humanidade.

Lá em Marte (ou num Ibis, caso queiram nos estudar por aqui mesmo), os ETs poderão aprender sobre nossos hábitos alimentares: "O único humanista autêntico é o canibal. Seu amor pela humanidade é o mesmo amor que temos por um bife, e é sincero". Nossa anatomia: "O cérebro humano é uma coisa tão complexa que nem o cérebro humano é complexo o bastante para entendê-lo". Nossas tragédias: "O Brasil é governado por minoria esmagadora". Nossas maravilhas: "Fizemos muita bobagem, é verdade — guerras, filhos demais, sacanagem com os outros, carros com rabo de peixe, Brasília —, mas também fizemos coisas admiráveis, como a catedral de Chartres e a Patricia Pillar".

Não estou certo se, depois de ler *Ver!ssimas*, nosso visitante pensaria em voltar outra vez à Terra (ou, caso esteja no Ibis, em descer para o café da manhã), pois o verdadeiro humorista não é um mico de auditório, é alguém sempre a botar o dedo nas feridas. Como, por exemplo, nos paradoxos da existência: "Não há onde estacionar um carro em Copacabana, por isso estaciona-se em toda parte e nunca falta lugar". Na nossa finitude: "Vida não interessa: haverá comida e bebida depois da morte?". Até mesmo em tabus sobre os quais seria impossível falar sem a anestesia do riso: "Quando os zagueiros David Luiz e Dante finalmente se conheceram, se apertaram as mãos ('muito prazer', 'muito prazer', 'precisamos nos encontrar!'), já estava 5 a 0 para a Alemanha".

É, de fato, acho que antes de chegar na letra Z o ET iria se pirulitar daqui. O risco, me ocorre agora, seria ele dar uma passada rápida no Rio de Janeiro, outra em Porto Alegre e levar para seu planeta dois de nossos melhores espécimes: a Patricia Pillar e o Luis Fernando Verissimo. Pensando melhor, se um óvni pousar no seu quintal, entregue a Enciclopédia Britânica, um LP do Sgt. Pepper's, um Almanacão de férias da Turma da Mônica e volte aos seus legumes com a paz de quem fez uma bela ação por nossa sofrida humanidade.

P.S.: Legumes: "Eu acho que na cama vale tudo, menos legumes. Já perdi a namorada porque disse que o meu limite era o pepino".

Antonio Prata

Verissimo
em miúdos

Sou um dos dezessete leitores do LFV, segundo suas contas que não fecham bem, e acho que posso provar. Eu lembro da primeira tirada "verissima" que me fisgou, lida numa revista em 1989. Falava de morte, reencarnação, e do medo que ele tinha de voltar a este mundo como formiga e ser pisoteado por um parente distraído. Não sei se aprendi ali que ia morrer um dia, mas foi certamente a primeira vez que pensei na morte e caí na gargalhada. Tinha dez anos, e não se faz uma piada dessas impunemente com uma criança.

Recortei aquela crônica, que ainda por cima era ilustrada por ele mesmo, e passei a guardar várias numa pasta azul de plástico para reler depois, isso quando não as colava no armário com fita gomada.

Outro dia, à toa, abri o jornal e li que o autor de *As mentiras que as mulheres contam* estava com setenta e nove anos. Me peguei imaginando que coletânea a editora prepararia no ano seguinte, por conta de seu octogésimo aniversário. Ficção, crônicas políticas, poesia, quadrinhos, comédias, contos... Tudo já fora servido e degustado, em fartos banquetes literários conforme a especialidade do chef gaúcho, sempre com bom tempero e nenhum destempero. Não estaria na hora de servir Verissimo em miúdos?

Tomei coragem — que é a cara de pau com educação — e enviei a sugestão aos editores. A ideia inicial, inspirada nos clássicos livros de citações de Ruy Castro, foi tão prontamente aceita que desconfio que ela não foi bem minha, já estava voando por aí e eu apenas engaiolei e mandei por e-mail. Três trocas de mensagens depois, eu já tocava o projeto, não sem antes me desabalar para a casa dos meus pais em busca da pasta perdida, que estava intacta.

Este livro é, portanto, uma obra raríssima. Trata-se, salvo engano, da primeira vez que um homem ocidental guardou recortes para ler depois e efetivamente o fez. E ainda conseguiu publicá-los.

As cerca de oitocentas frases aqui reunidas, claro, não vieram somente do meu arquivinho empoeirado, mas também da releitura ruidosa, por vezes convulsiva, de mais de setenta livros publicados pelo escritor gaúcho ou dos quais ele participou. Muitas vieram da pesquisa em portais de jornais e revistas, bem como de crônicas bem guardadas na Biblioteca Nacional. Algumas pérolas vieram de declarações dadas por Verissimo que, mesmo preferindo tomar injeção a dar entrevista, acertou na veia em várias dessas conversas com repórteres.

Um dos principais objetivos desta antologia foi apurar se aquelas tantas frases espalhadas pela internet eram de fato dele. O escritor gaúcho acha algumas engraçadas, mas garante que não são dele, e topa o teste de paternidade para provar. As legítimas, assim, estão nas páginas a seguir, num rodízio de miúdos, ou verbetes, em que o leitor tem a escolha de avançar ou voltar atrás nas definições listadas por ordem alfabética, seguindo a bússola dos "conformes" (Cf.), outro símbolo clássico dos dicionários que inspiraram o projeto deste livro. No fim, trata-se de um bufê do mais fino humor, pronto para ser degustado por todos vocês, os outros quinze leitores (sim, o Antonio Prata aqui garante ser o décimo sexto, vá discutir).

Li que um livro que não fornece citações não é exatamente um livro — é um brinquedo. Certamente um exagero do velho T. L. Peacock, mas que reforça como Luis Fernando Verissimo não brinca em serviço: de todos os livros seus que escarafunchei, havia sempre uma boa frase por catar. Torço para que o leitor, quer encare esta obra como livro ou brinquedo, se divirta como eu me diverti.

Agradeço a confiança do professor LFV e os toques de uma equipe de primeiríssima, formada por Lucia, Laura e João Paulo Riff, Simone Ruiz, Marcelo Ferroni e Fernanda Verissimo, craque da família que jogou avançada nos preciosos arquivos no Rio Grande do Sul, selecionando as magistrais ilustrações deste livro. Jamais vou esquecer os sábios conselhos do Fraga, parceiro e conterrâneo do mestre Verissimo, o pontapé inicial de Carlos Fialho e o apoio essencial da Flávia, minha primeira revisora, sempre. Um abraço aos meus familiares.

Marcelo Dunlop

ver!ssimas

EPÍGRAFE

É aquela frase de um autor famoso que a gente usa para abertura de um livro. Já pensei em fazer uma variação. Em vez de escolher uma citação de, digamos, Guerra e paz como epígrafe de um romance meu, publicar todo o Guerra e paz e botar uma frase minha no fim. As possibilidades comerciais, inclusive, melhorariam.

ABACAXI O abacaxi é fruta a contragosto.

ABECEDÁRIO Quando a gente aprende a ler, as letras, nos livros, são grandes. Nas cartilhas — pelo menos nas cartilhas do meu tempo —, as letras eram enormes. Lá estava o A, como uma grande tenda. O B, com seu grande busto e sua barriga ainda maior. O C, sempre pronto a morder a letra seguinte com a sua grande boca. O D, com seu ar próspero de grão-senhor. Etc. Até o Z, que sempre me parecia estar olhando para trás. Talvez porque não se convencesse de que era a última letra do alfabeto e quisesse certificar-se de que atrás não vinha mais nenhuma. As letras eram grandes, claro, para que decorássemos a sua forma. Mas não precisavam ser tão grandes. Que eu me lembre, minha visão na época era perfeita.

ABISMO Se o mundo está correndo para o abismo, chegue para o lado e deixe ele passar.

ACAMPAR Sempre que ouço alguém descrever, extasiado, as delícias de um acampamento — ah, dormir no chão, fazer fogo com gravetos e ir ao banheiro atrás do arbusto —, me espanto um pouco mais com a variedade humana. Muitas gerações contribuíram com seu sacrifício e seu engenho para que eu não precisasse fazer mais nada atrás do arbusto.

ADÃO E EVA Adão, sozinho no Paraíso, era um homem feliz porque era um homem sem datas. Mas quando Deus colocou Eva ao lado de Adão, a primeira coisa que ela perguntou, ainda úmida da criação, só para puxar assunto, foi: "Que dia é hoje?", e ele sentiu que sua paz terminara. (*Cf. Nirvana*)

ADAPTAÇÃO A evolução determinou que o homem andasse

ereto, sobre os dois pés, mas não adaptou sua coluna para as novas funções. O resultado é que somos bípedes com uma estrutura de quadrúpedes, e como dói. (*Cf. Coluna*)

AGENDAS Gosto de ganhar agendas. Elas trazem um ar de otimismo e confiança no futuro. E de certeza implícita que eu vou estar vivo e ativo pelo menos durante mais um ano — e um mês, já que todas incluem janeiro do ano seguinte. Obrigado pela força, gente.

AGORA Só há o agora. Tempo passado é lembrança e tempo futuro é adivinhação. Só o presente é tempo legítimo.

AMANHÃ Temos que confiar no amanhã. A não ser que descubram alguma coisa contra ele durante a noite.

AMANTE Amante é o namorado que leva pijama. (*Cf. Marido*)

AMEAÇA Não sofri incômodos maiores da censura, fora as crônicas que não podiam sair e tinham que ser substituídas em minutos, e a vez em que avisaram ao jornal que "esse Luis Carlos Verissimo está se excedendo". Fiquei tranquilo, em caso de prisão levariam o meu primo. (*Cf. Censura*)

AMÉRICA A Europa descobriu que não podia viver sem tempero e lançou-se ao mar e à conquista de rotas alternativas para o cominho e, por acidente, outros mundos. A América é um produto do paladar europeu. (*Cf. Europa*)

AMÉRICA LATINA Veja como é simples a América Latina. Simples como o ABC. A, existe os que têm, B, existe os que não têm nada, C, existe os que querem que seja assim para sempre.

AMERICANOS É bom ser americano. Você ganha em dólar, não tem nenhuma dificuldade para dizer o "th" em inglês e, o melhor de tudo, nunca precisa crescer. (*Cf. EUA*)

AMIGOS Certas opiniões podem me custar amigos. É pena. Prefiro ter amigos a ter opiniões. (*Cf. Opinião*)

AMOR Desejo de que nada aconteça ao nosso amor, principalmente ter amor por outro. (*Cf. Ciúmes*)

AMOR-PRÓPRIO Todo mundo tem amor-próprio, se bem que nem sempre seja correspondido.

ANATOMIA Há quem diga que Deus criou o apêndice e as amígdalas para dar de comer aos cirurgiões.

ANEDOTAS Um dos mistérios da vida é: de onde vêm as anedotas? O enigma da criação da anedota se compara ao enigma da criação da matéria.

ANIVERSÁRIO
*Depois de uma certa idade
é temerário
fazer aniversário.
Que agonia!
Todo "parabéns" soa
mesmo dito numa boa,
como ironia.*

ANTECEDENTES A corrupção é muito antiga no Brasil. As contas que o Cabral trocou com os índios já não fechavam. (*Cf. Corrupção*)

ANTEONTEM Estou na idade em que trinta anos atrás é anteontem.

APELIDOS O casamento só é indissolúvel com apelido. O único amor eterno é o amor com apelido.

APETITE Pessoas que comem como um passarinho deviam ser caçadas a bodoque. (*Cf. Bufê*)

APOSENTADO Aposentado é o vagabundo sem culpa e com renda. Embora, no Brasil, renda insuficiente.

APRENDIZADO O que eu sei foi a vida que me ensinou e, como eu não prestava atenção e faltava muito, aprendi pouco. Sei o essencial, que é amarrar sapatos, algumas tabuadas e como distinguir um bom Beaujolais pelo rótulo. E tenho um certo jeito — como comprova este exemplo —

para usar frases entre travessões, o que me garante o sustento. No caso de alguma dúvida maior, recorro ao bom senso. Que sempre me responde da mesma maneira: "Olha na enciclopédia, pô".

ARGENTINOS Argentino, como se sabe, não joga futebol de blazer azul porque o juiz não deixa.

ARREPENDIMENTO O que eu gostaria de ter feito e não fiz é ter completado vinte anos ontem. (*Cf. Velhice*)

ARTÉRIAS Anos atrás, cardíacos deviam desviar o olhar se um ovo fosse servido num prato vizinho: ver ovo fazia mal. E agora estão dizendo que foi tudo um engano, o ovo é inofensivo. A próxima notícia será que bacon limpa as artérias. (*Cf. Sal*)

ASSÉDIO Nos EUA, "good morning" para a camareira do hotel pode ou não pode ser considerado assédio sexual. Depende do modo de pronunciar o "gud". De qualquer maneira, é bom estar com o número do consulado. (*Cf. Americanos*)

ASTRONAUTAS Não há nada que um homem possa fazer no espaço que uma máquina não possa fazer melhor, a não ser morrer.

ATACANTES O vocabulário de um bom atacante está cheio de palavras que jamais devem entrar na vida de um defensor, a não ser em pesadelos: surpresa, criação, fortuito, invenção. Não se imagina sobre o que defensores e atacantes conversam fora de campo. Sobre futebol certamente não é. Um não reconheceria o esporte do outro.

ATAQUE Uma máxima muito usada no futebol e por políticos sob investigação é que a melhor defesa é o ataque. (*Cf. Confiança*)

ATLETAS DE CRISTO Dizem que o fenômeno dos atletas devotos melhorou o nível da disciplina no futebol, e se alguns esquecem Cristo e entram por cima da bola, isto só prova que o caráter, ou o instinto de preservação, às vezes é mais forte do que a fé — ou que Satanás não desiste com facilidade. (*Cf. Futebol*)

AUTOCONHECIMENTO Conhece-te a ti mesmo, mas não fique íntimo.

AUTOMÓVEIS Vivemos a civilização do automóvel, mas atrás do volante de um carro o homem se comporta como se ainda estivesse nas cavernas. Antes da roda. Luta com seu semelhante pelo espaço na rua como se este fosse o último mamute. (*Cf. Porta aberta*)

AUTORIA História apócrifa é mentira bem-educada.
(*Cf. Verdade*)

AZIA
*E disse o lobo com azia
pedindo um caldo de galinha:
Não devia ter comido aquela
última vovozinha...*

bB

B é a primeira letra de Bach, Beethoven, Brahms, Béla Bartók, Brecht, Beckett, Borges e Bergman, mas também de Bigorrilho, o que destrói qualquer tese.

BALEIA A baleia é um mamífero que preferiu continuar no mar. Quer dizer, é uma sentimental.

BALELA
Nada de moralização,
os humoristas precisam delas.
Salvem as balelas!

BANANA O mundo nunca mais foi o mesmo depois que o primeiro macaco descascou sua primeira banana. Era o despertar da técnica. A descoberta da banana foi a primeira aventura intelectual do pré-homem.

BANCOS Não entendo por que uma nação inteira deva se submeter aos interesses dos banqueiros internacionais. Eles não são melhores que os banqueiros nacionais.

BAND-AID Alguma coisa aconteceu na poética nacional quando, no "Dois pra lá, dois pra cá", dele e do João Bosco, o Aldir Blanc falou naquela ponta de um torturante band-aid no calcanhar da moça que gostava de uísque com guaraná. O band-aid no calcanhar vale um compêndio de sociologia suburbana. (*Cf. Bic*)

BANHEIROS Um dos abismos da criatividade humana é a porta de banheiro público. Como indicar que uma porta é do banheiro dos homens e outra do banheiro das mulheres sem cair no óbvio? Está claro que este é um daqueles casos em que deviam deixar o óbvio em paz.

BANHO Já tentei andar com um caderninho para anotar as ideias, mas aí elas começaram a vir no chuveiro. (*Cf. Inspiração*)

BAR O bar perfeito deve ser o último refúgio do ócio inteligente. (*Cf. Esquina*)

BARBA A genética, a biologia, o meio ambiente e o saldo bancário determinam o que sou, mas da decoração do meu rosto cuido eu.

BARBÁRIE Engels disse que no fim a escolha seria sempre entre socialismo e barbárie. A barbárie nós sabemos como é, basta olhar em volta, resta redefinir o socialismo. (*Cf. Capitalismo*)

BARGANHA Ricardo III foi quem, vendo-se a pé e cercado por inimigos, gritou "Meu reino por um cavalo!", sendo assim o precursor da barganha política numa hora de aperto.

BATERIA Nas baterias das escolas de samba, os agogôs e os chocalhos não são mais ouvidos, e a levada acelerada já sepultou os passistas e certamente não está fazendo bem ao coração das baianas.

BEATLES Cheguei a ter a convicção de que o declínio da civilização ocidental começara com o baixo elétrico, um preconceito que abandonei só para poder gostar dos Beatles. (*Cf. Rock*)

BEBÊS Ao nascer, ninguém tem a cara de ninguém. Aliás, os dois ou três dias depois do nascimento são os únicos dias da vida em que a nossa cara é só nossa.

BEISEBOL Nunca entendi por que razão "Mamãe, posso ir?" não se transformou num esporte popular, já que é muito mais empolgante do que o beisebol. O beisebol é o esporte mais aborrecido do mundo depois do críquete, que pelo menos tem chá nos intervalos.

BELELÉU O Beleléu é um lugar de localização indefinida. Em alguns mapas fica além das Cucuias; em outros, faz fronteira com Cafundó do Judas e Raio Que os Parta do Norte. Beleléu tem algumas características estranhas. Nenhum dos seus matos tem cachorro, todas as suas vacas estão no brejo — e todos os seus economistas são brasileiros. (*Cf. Cucuias*)

BELEZA As pinturas são o nosso único meio de saber o que era considerado mulher bonita, de época em época, no passado. As loiras do Botticelli continuam à nossa volta, todas de pretinho.

BERMUDAS Fico na cidade. A máxima concessão que faço ao natural são as bermudas. E, assim mesmo, longas. Muito curtas e já é um começo de volta à selva. (*Cf. Acampar*)

BÍBLIA A Bíblia tem tudo para acompanhar uma insônia: enredo fantástico, grandes personagens, romance, o sexo em todas as suas formas, ação, paixão, violência — e uma mensagem positiva.

BIBLIOTECA A biblioteca é o lugar onde começamos a nos conhecer.

BIC Imagine quantas boas ideias não desaparecem para sempre por falta de algo que as retivesse na memória e no mundo. A história da civilização teria sido outra se, antes de inventar a roda, o homem tivesse inventado a Bic e o bloco de notas. (*Cf. Band-Aid*)

BICHEIROS A tolerância com os bicheiros que dominam as escolas de samba e fazem a festa é análoga à velha convicção brasileira de que um certo banditismo é necessário para que as instituições funcionem.

BICHOS O que separa o homem dos bichos é que o homem sabe que é irracional.

BICICLETA Há, na bicicleta, uma relação quase mística entre homem e máquina. Os dois são uma coisa só. O pedal é uma extensão dos músculos da perna. Quando o pé escapa do pedal o músculo vai junto e o osso fica, é uma sensação diferente.

BIFE A carne pode vir sangrando, rosada, ao ponto ou (há gosto para tudo) bem passada. (*Cf. Preferências*)

BIGORNA Uma vez, com meus catorze ou quinze anos, tive o seguinte pensamento: quando eu ficar bem velho (com quarenta anos, por aí), os americanos já terão descoberto a cura de todas as doenças e o segredo de uma vida sem fim, salvo bigorna na cabeça.

BIOGRAFIA Razão teve o goleiro Taffarel quando decidiu que sua biografia esportiva estava pronta e recusou a convocação para a seleção. Estava recusando a possibilidade de vexames que comprometessem a lembrança que ele quer deixar. Não deu chances ao tempo para desmoralizá-lo com mais detalhes. Com o tempo, os detalhes estragam qualquer biografia. (*Cf. Patifarias*)

BLAZER De blazer azul e de longe, todos os homens são iguais. E elegantes. Já dei ordens para ser enterrado no meu blazer azul, prevendo que me avistarão na fila de triagem e me mandarão para o céu sem burocracia. De blazer azul passa direto.

BOBAGENS O homem enche a cabeça de bobagens porque não suportaria a única ideia que traz no fundo, a de que vai morrer um dia. (*Cf. Eternidade*)

BOEMIA O que mais interessa a um bom bebedor num bar é aquela sensação de perenidade. De que as mesas não têm pés, têm raízes.

BOLA Futebol é bola rolando, dizem. É e não é. O que acontece com a bola define o resultado do jogo, certo, mas há tantas outras coisas acontecendo em volta daquela esfera tocada com o pé que se pode compará-la com a Terra, que também parece ser o centro do Universo, e não é.

BOLA DE GUDE Acabo de procurar no dicionário, pela primeira vez, o significado da palavra "gude", da bola de gude. Quando era garoto nunca pensei nisso, eu sabia o que era gude. Gude era gude.

BONDES O meu bairro era alto e o bonde começava a subir assim que saía do Centro. Como era lenta a subida do bonde para o meu bairro. Mas não me lembro de achar que perdia tempo. Aproveitava-se para pensar na vida, ou o que passava por pensar na vida, na adolescência. Nada como um bonde lento para meditar sobre o significado de todas as coisas. Sempre achei que se a linha do meu bairro fosse um pouco mais longa eu teria decifrado o Universo.

BOSSA NOVA A bossa nova é o samba destilado. (*Cf. Elizete Cardoso*)

BOXE Um esporte civilizado é o boxe. Não há notícia de jogadores de xadrez ou de tênis se abraçando efusivamente depois de uma partida como acontece com lutadores de boxe, que continuam amigos depois da luta, mesmo porque passaram a maior parte do tempo abraçados. (*Cf. Xadrez*)

BRANCA DE NEVE Apesar do que pensam alguns, a história da Branca de Neve não é sobre problemas de economia doméstica em famílias numerosas.

BRASIL No Brasil o fundo do poço é apenas uma etapa.

BRASÍLIA O poder em Brasília é apenas uma forma hierarquizada de solidão. Em Brasília, nenhuma multidão é uma multidão, são vários solitários juntos.

BUENOS AIRES A gente vai a Buenos Aires porque não pode ir à Europa assim como quem vai a Buenos Aires. (*Cf. Argentinos*)

BUFÊ Ao redor de uma mesa de bufê o ser humano reverte ao seu protótipo mais primitivo: a fera diante do alimento. (*Cf. Comida*)

BUNDAS Onde estão as bundas do Carnaval, quando não é Carnaval? Não parece razoável pensar que elas migram, como os pássaros. (*Cf. Quaresma*)

BURACO NEGRO O Stephen Hawking voltou atrás na sua teoria sobre os buracos negros, aqueles furos no Universo em que a matéria desaparece. Nem eu nem você entendíamos a teoria, e agora somos obrigados a rever nossa ignorância: os buracos negros não eram nada daquilo que a gente não sabia que eram, são outra coisa que a gente nunca vai entender.

BURRICE Deus nos livre da burrice alheia, que a nossa é pitoresca.

BUSH George Bush foi o presidente americano que mais acreditou que a guerra é o sexo por outros meios, e a praticou com entusiasmo de adolescente.

BÚZIOS Os búzios e os astros e as teorias e as receitas estão sempre certos, as pessoas é que nem sempre fazem o previsto.

O **C** é uma das letras mais populares do alfabeto. Sem ela não haveria Carnaval, caipirinha, cafuné e crédito, e a coisa seria bem mais complicada.

CABECEIRAS Não consigo tempo para ler os livros que se empilham nas minhas cabeceiras. Não adianta mandar sugestões sobre como resolver o problema, não terei tempo para lê-las.

CABELUDOS Nos anos 1970 os homens usavam os cabelos pelos ombros, lembra? De trás era difícil saber se era homem, mulher ou maestro. (*Cf. Esquerda*)

CALÇAS A imprensa foi eleita a melhor invenção do último milênio. Poderiam argumentar que as maiores invenções do milênio foram o cinto e o suspensório, pois o que teriam realizado Gutemberg e o restante da humanidade se tivessem de segurar as calças por mil anos?

CALOR Fazia um calor brasileiro, como dizem no Senegal.

CAMA O verdadeiro espaço em que se decide um relacionamento é fora da cama. É tudo que não é cama.

CAMAROTE Estive no camarote da Brahma. Quem não era bonito era rico, quem não era rico era famoso, quem não era nem rico nem bonito nem famoso provavelmente era eu.

CANALHAS O Otto Lara Resende tinha um sonho na vida. Não era um sonho de riqueza, consumo, conquista ou onipotência. Era o de um dia estar caminhando pela rua do Ouvidor (podia ser qualquer outra rua, mas a do sonho do Otto era a do Ouvidor), ouvir alguém gritar, às suas costas, "Canalha!" — e continuar caminhando, na certeza absoluta de que não era com ele.

CANDIDATOS Brasileiro gosta tanto de piadas que duas, hoje, são presidenciáveis.

CANDIDATURA Já disse que não aceito minha indicação para presidente da República, se convocado não concorrerei, se concorrer não farei campanha, se ganhar não tomarei posse e se tomar posse farei um festão.

CANIBAL O único humanista autêntico é o canibal. Seu amor pela humanidade é o mesmo amor que temos por um bife, e é sincero. (*Cf. Vegetariano*)

CANTADAS Não seja engraçadinho. Jamais aponte para os seios que pendem cheios e soltos sob a blusa dela e diga "Quer que eu carregue para você?".

CAPANGA Era incapaz de matar uma mosca. Mandava um capanga.

CAPITAL O capital financeiro não tem nada a temer, salvo seu próprio excesso.

CAPITALISMO No capitalismo, algum tipo de máfia é o caminho natural de todas as coisas.

CARIOCA Nome indígena que significa "não deixe para amanhã o que um paulista pode fazer por você hoje". (*Cf. Rio de Janeiro*)

CARNAVAL O Carnaval é um tríduo de cinco dias: sexta, sábado, domingo, segunda e terça. Tem uma vez por ano, menos na Bahia, onde o atual Carnaval é o de 1948, que ainda não terminou. (*Cf. Bundas*)

CARPE DIEM Viva todos os dias como se fosse o seu último. Um dia você acerta.

CARTEIRA Abandonei todas as minhas convicções e abracei o neoliberalismo, que aproveitou e me bateu a carteira. (*Cf. Neoliberalismo*)

CASAMENTO O casamento foi a maneira que a humanidade encontrou de propagar a espécie sem causar falatório na vizinhança. (*Cf. Divórcio*)

CASSAÇÕES Não sei se eu concordo com essa onda de cassar congressistas. Enquanto eles estiverem no Congresso não estão nos assaltando na rua. (*Cf. Eleições*)

CATACLISMO Não existe maneira civilizada de um amor acabar. Amor que não acaba em cataclismo não era amor.

CEGOS Em terra de cegos o trânsito deve ser uma loucura, e quem tem um olho abre uma seguradora.

CELEBRIDADES O reino dos célebres não tem fronteiras. É até onde a mídia alcança.

CELULARES Não tenho e nunca terei um telefone celular. Quando preciso usar um, uso o da minha mulher. Mas segurando-o como se fosse um grande inseto, possivelmente venenoso, desconhecido da minha tribo.

CENSURA Quem não gosta de certo gênero de filmes pode exercer o único direito de censura admissível num adulto, que é o de não entrar no cinema.

CENTROAVANTE A solidão do centroavante é uma solidão de eremita, de faroleiro, de náufrago de cartum. Ninguém é mais sozinho do que um centroavante. Ele está sempre cercado de gente, mas são inimigos. É um isolado na multidão, um paradoxo de chuteiras.

CÉREBRO O cérebro é um tubarão. Não pode parar senão vai para o fundo.

CETICISMO Sou um cético total, mas aberto a revelações. (*Cf. Levitação*)

CHAMINÉ Os olhos são as janelas da alma, e o nariz é a chaminé.

CHANTAGEM O homem não é o único animal que alimenta e cuida de suas crias. Mas é o único que depois usa isso para fazer chantagem emocional. (*Cf. Fraldas*)

CHINESES Notícias de gripes na China são duplamente preocupantes: porque as gripes podem ser epidêmicas e porque elas possibilitam uma hipótese temida pela ciência há anos, a de que um dia todos os chineses espirrem ao mesmo tempo e desviem a Terra da sua órbita na direção do Sol e da extinção certa.

CHURRASCO É a suprema desmoralização: o churrasco na minha casa é feito por minha mulher, que ainda por cima é carioca.

CHUVEIRO Um enlouquecedor hábito francês é o do chuveiro de mão, que nunca se sabe como segurar quando se precisa das duas mãos. Por favor, não mande sugestões. (*Cf. Banho*)

CICATRIZES Centroavantes, toureadores velhos e mercenários, você os conhece de longe. São sobreviventes de profissão. Estiveram com a morte e voltaram, e têm as cicatrizes para provar.

CIDADES Toda grande cidade é ao mesmo tempo uma experiência do irracional e uma lição de convívio.

CINEMA O cinema é a arte dos sentidos, não do intelecto.

CINISMO O cinismo é a ironia com poder — ou a ironia no poder. (*Cf. Tesão*)

CITAÇÃO A citação falsa dá a impressão de erudição, mas dispensa a erudição. Na frase de Sartre: "A aparência precede a essência. A não ser nos casos em que isto não acontece. Sei lá".

CIÚMES Ciúmes não é uma questão entre o homem e a pessoa que ama. Ou é, só que a pessoa que ele ama é ele mesmo. Ciúmes é sempre entre o homem e ele mesmo. (*Cf. Narcisismo*)

CIVILIZAÇÃO Civilização é o que sobra para ser desenterrado dois mil anos depois.

CLAREZA Escrever bem é escrever claro, não necessariamente certo. Por exemplo: dizer "escrever claro" não é certo, mas é claro, certo? (*Cf. Ofício*)

CLASSES O Brasil é formado por uma classe dominante e uma classe ludibriada.

CLÁSSICOS Dedico-me aos clássicos: Sófocles, Virgílio, Shakespeare e ao picolé de coco.

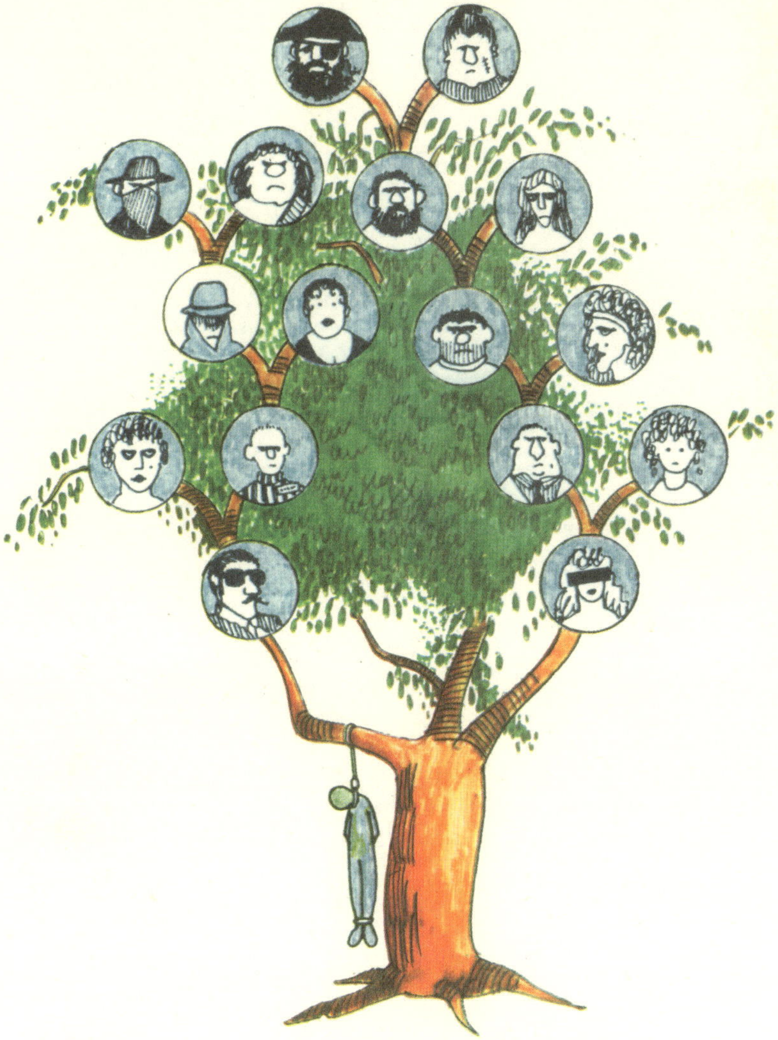

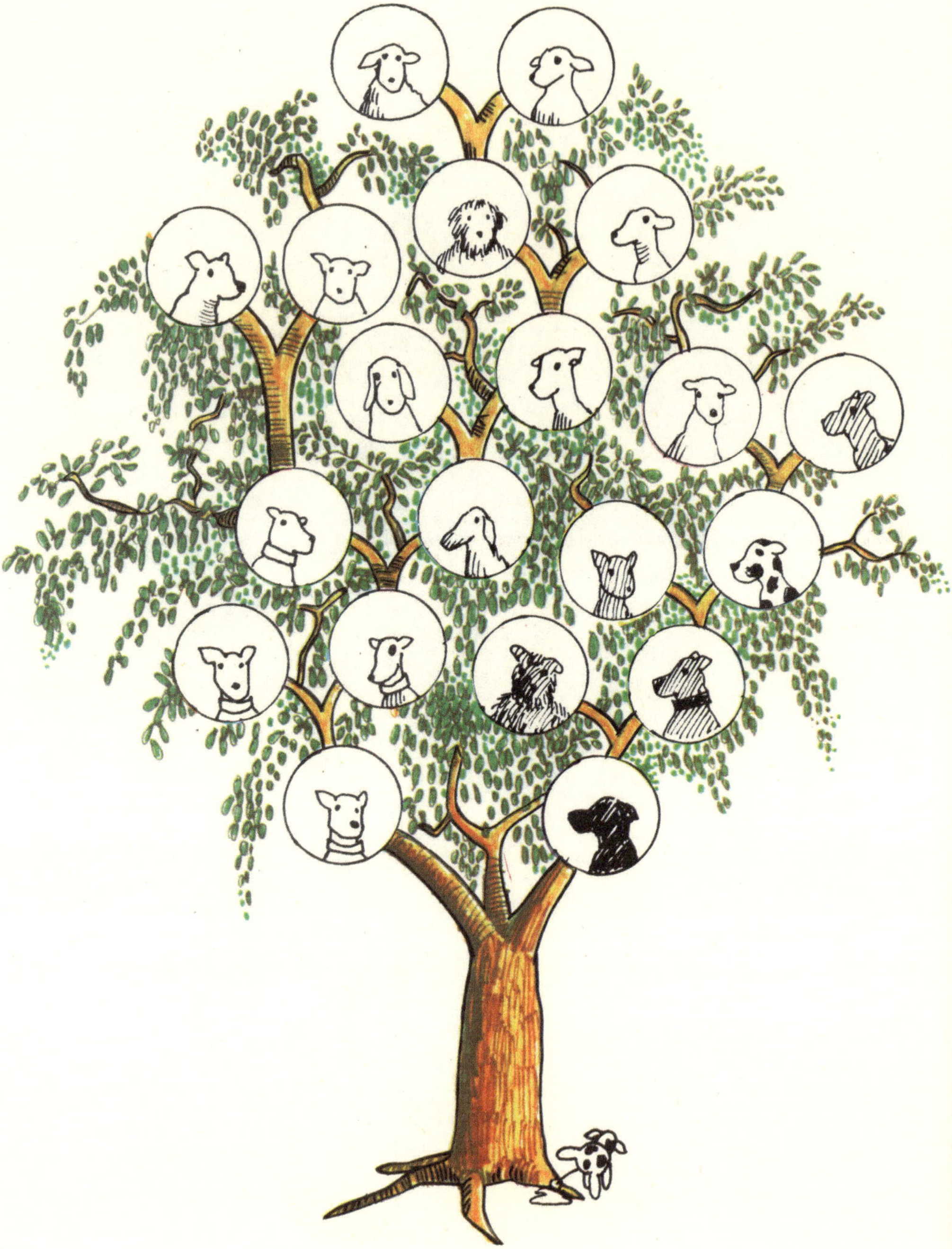

VOCÊ FAZ ISSO PARA TODAS...

> NÃO SOU CANDIDATO A MINISTRO.
> SE CONVIDADO NÃO ACEITAREI. SE
> CONFIRMADO, RECUSAREI. SE
> EMPOSSADO, ENTÃO PENSAREI
> A RESPEITO

— Decidi fazer sacrifícios para ajudar a resolver a grave crise que o país atravessa, cortando os gastos supérfluos que só servem para agravar contrastes sociais. **NÃO VOU MAIS DAR GORJETAS.**

UMA COISA QUE EU NÃO VOU TOLERAR NESTE MINISTÉRIO É O NEPOTISMO
SIM, PAPAI
CERTO, TITIO
BOA, MANO
FALOU, VOVÔ

— TEMOS QUE CONFIAR NO AMANHÃ

— A NÃO SER QUE DESCUBRAM ALGUMA COISA CONTRA ELE DURANTE A NOITE

CLÍMAX É fácil identificar o clímax sexual porque ele vem acompanhado de movimentos espasmódicos e uma sensação, segundo um geopolítico brasileiro, de que "as porteiras de Itaipu se abriram e estamos inundando toda a Argentina". (*Cf. Órgão sexual*)

COBRAS Escolhi cobras como personagens porque elas são fáceis de fazer. A cobra é só pescoço. A reação do público foi imediata, mas mesmo assim eu continuei a desenhar.

COCHICHO O homem e o papagaio são os únicos animais que falam, mas só o homem cochicha.

COERÊNCIA Muitas vezes o pluralista de ontem pode ser o fundamentalista de hoje, e nem as maiores convicções democráticas estão a salvo do vice-versa ao contrário.

COLESTEROL A frase mais enternecedora da língua portuguesa é "esse é o colesterol bom". E a mais bonita é "os triglicerídios estão normais". (*Cf. Doença*)

COLETIVO Sempre que ouço falar em "inconsciente coletivo", penso num ônibus desgovernado.

COLISEU O encontro entre os leões e os cristãos atraía multidões ao Coliseu romano, embora o resultado já fosse conhecido. Não havia loteria esportiva na época, mas, se houvesse, leões × cristãos seria sempre coluna 1, seca.

COLONIZAÇÃO Como seria se os holandeses tivessem derrotado os portugueses e colonizado todo o Brasil? Para começar, nossos padrões de beleza seriam completamente outros. Em vez de morenas, nossas mulheres seriam loiras de cabelo escorrido, e a brasileira mais conhecida no mundo seria alguma longilínea do tipo nórdico, chamada Gisele ou coisa parecida.

COLUNA Morrer é nunca mais se queixar da coluna. (*Cf. Twist*)

COMEÇOS "Merda", disse a madre superiora. Não se assuste. É que eu sempre quis começar um conto assim.

COMÉDIA A grande comédia do cinema, para mim, começou na primeira vez em que Groucho Marx tirou o charuto da boca e, entre baforadas, insultou a sua primeira vítima.

COMES E BEBES Vida não interessa: haverá comida e bebida depois da morte? (*Cf. Gourmet*)

COMETA HALLEY Pense só: quando esse cometa passar por aqui de novo, daqui a setenta e seis anos, nossos netos é que estarão discutindo a reforma agrária.

COMIDA Partilhar da comida com o próximo tem sido um símbolo de concórdia desde as primeiras cavernas. Até hoje as conferências de paz se fazem em volta de mesas onde a comida, se não está presente, está implícita. (*Cf. Apetite*)

COMPETIÇÃO O trânsito em qualquer grande cidade do mundo é uma metáfora para a vida competitiva que a gente leva, cada um dentro do seu próprio pequeno mundo de metal tentando levar vantagem sobre o outro, ou pelo menos tentando não se deixar intimidar. (*Cf. Automóveis*)

COMPLEXIDADE O cérebro humano é uma coisa tão complexa que nem o cérebro humano é complexo o bastante para entendê-lo.

COMPOSTURA Vivemos tentando conciliar duas exigências conflitantes, ser brasileiro e manter um mínimo de compostura.

COMPROMISSO Existe uma espécie de chimpanzé que passa o tempo inteiro fazendo sexo. Todo mundo transando com todo mundo, sem parar. Por que essa espécie foi a escolhida para ter esse prazer reincidente, essa felicidade constante, enquanto outras espécies, como a nossa, precisam passar por todo um processo de sedução, compromissos, tratativas, às vezes até visitas ao cartório, para no fim ter sexo? (*Cf. Sexo*)

COMUNICAÇÃO Milhares de anos de civilização nos legaram exemplos e frases para todas as situações. Esquecê-las seria trair a nossa herança. A cultura helênica, a romana, nossas tradições judaico-cristãs, os clássicos, o próprio dom da comunicação entre os povos. Voltaríamos à torre da Babilônia.

CONFIANÇA Zagueiro central tem que ser conhecido pelo nome da certidão e, se forem dois nomes, melhor. O apelido e, principalmente, o diminutivo dão uma certa impressão de frivolidade, inadmissível na grande área. Fica a impressão de que o zagueiro com alcunha não assume os seus atos. Quem pode confiar numa defesa com pseudônimo?

CONFORTO O maior patrimônio do turista, ao contrário do que se pensa, não são os cheques de viagem, o passaporte ou a passagem de volta — são os sapatos. (*Cf. Turismo*)

CONSTITUIÇÃO Nossa Constituição é como "A Voz do Brasil": a maioria não liga. (*Cf. Leis*)

CONTATOS IMEDIATOS O fato de não terem entrado em contato conosco até agora prova que não há seres inteligentes em outros planetas. Ou que são mais inteligentes do que a gente pensa.

CONVENIÊNCIA Se a era da informação universal nos ensinou alguma coisa, foi a desconfiar. Com tantas versões no ar, a questão acaba sendo não qual é a verdadeira, mas qual é a conveniente para quem. (*Cf. Versões*)

CONVERSAS As conversas mais interessantes são as que não conseguimos ouvir.

CONVÍVIO Viver junto é ir descobrindo o que cada um tem por dentro, os dezessete outros de cada um, e aprendendo a viver com eles. A gente se adapta. Um dos meus dezessete pode não combinar com um dos dezessete dela, então a gente cuida para eles nunca se encontrarem.

COPACABANA Não há onde estacionar um carro em Copacabana, por isso estaciona-se em toda parte e nunca falta lugar.

COQUETÉIS Confortai-me com canapés, que desfaleço de banalidades.

CORAÇÃO Tudo que atribuem ao coração, do mais romântico ao mais calhorda, é falso. Trata-se de um mero músculo, e de um músculo egoísta, que só quer saber da sua própria sobrevivência. Da qual, por uma cruel coincidência, depende a nossa.

CORAÇÃO DE MÃE Coração de mãe é um pouco como as Caraíbas. Ventos se cruzam, correntes se chocam, é uma área de tumultos naturais.

CORRETOR ORTOGRÁFICO Os computadores eliminaram o que o escritor tem de mais pessoal e enternecedor, seus erros de ortografia. O meu não se recusa a aceitar a palavra errada, mas a sublinha em vermelho, escandalizado, e tenho certeza de que precisa se controlar para não apitar ou fazer quá-quá-quá.

CORRIMÃO Saíamos de casa com ordens expressas de não tocar em corrimão de escada. Entre rolar na escada e segurar no corrimão devia-se optar pela queda, pois fraturas pelo menos se viam, enquanto os micróbios agiam em segredo. Resultado: inventaram a escada rolante. Outro triunfo das mães.

CORRUPÇÃO "Corrupção", você talvez se interesse em saber, vem do latim *rumpere* ou romper, quebrar. *Corrumpere* quer dizer quebrar completamente, inclusive moralmente, o que significa que quem foi corrompido não tem mais conserto, não importa o que diga a sua assessoria de imprensa.

CORRUPTORES Brasil, esse estranho país de corruptos sem corruptores.

CORRUPTOS Um corrupto não nasce feito. Ele geralmente se faz por si mesmo. Com material inferior, claro.

COSTUME Você sabe que está ficando um velho filosófico quando lhe perguntam o que você acha de viver no Brasil, e você responde "A gente acaba se acostumando…".

COURO Nenhum prazer do mundo se igualava ao do cheiro do couro de uma bola de futebol recém-desembrulhada latejando em suas mãos (ainda não se tinha descoberto a revistinha de sacanagem). (*Cf. Bola*)

CRACHÁ No Brasil o crachá só tem uma função: a de distinguir os que têm permissão para entrar dos que não têm permissão, mas entraram assim mesmo.

CRAQUES Nunca houve qualquer dúvida de que Pelé desceu do céu dentro de uma bola iluminada, e já saiu chutando, enquanto que Zico, por exemplo, teve que conquistar seus poderes. (*Cf. Zico*)

CRENÇA Eu não acredito em Deus, mas tenho certeza de que Ele não está sentido com isso.

CRENTE Um ateu é um crente que ainda não jogou na Sena acumulada.

CRIANÇAS "Criança não pode morrer." Se esse fosse o primeiro artigo da Constituição, e o Brasil respeitasse a Constituição, este seria outro país.

CRIME Nenhum crime justifica um linchamento, mesmo virtual.

CRÍQUETE O críquete, na sua origem, era um substituto para a sesta entre jovens aristocratas ingleses, uma forma de dormirem e se exercitarem ao mesmo tempo.

CRISES As crises brasileiras são sempre crises de frustração. São paródias de partos: parece que vem algo novo, pelo menos com outra cara ou de outra raça, o que nos leva até a tolerar o sofrimento e as privações, e nascem sempre as mesmas crianças.

CUCUIAS
Como viajam os brasileiros donos de um elã incomum. A maioria vai pras Cucuias e o resto vai pra Cancún.
(*Cf. Beleléu*)

CUECA No Brasil, os políticos mudam de partido como quem muda de cueca, e sem a desculpa da higiene.

CULINÁRIA Só entendo de comida da boca para dentro. (*Cf. Pizza*)

CULPAS Assim é o inevitável mundo moderno, a culpa é de ninguém, dizem eles. Ser neoliberal é jamais ter que pedir perdão.

CURIOSIDADE Dizem que o Brasil não tem memória — o que o Brasil não tem mesmo é muita curiosidade. (*Cf. Memória*)

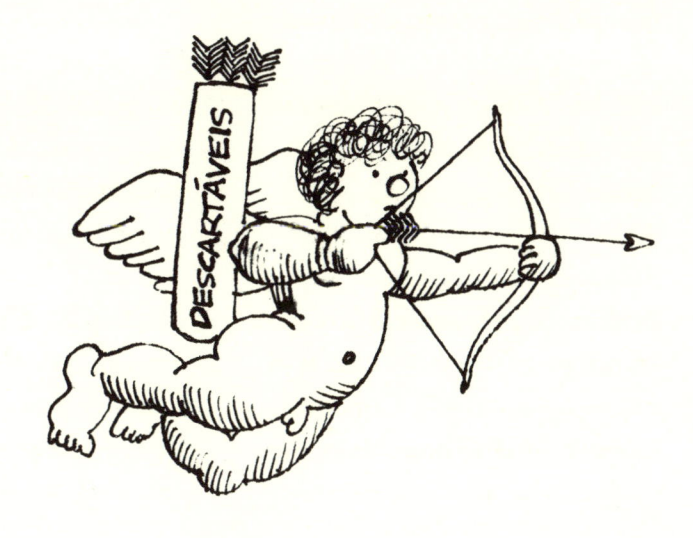

Dd

DARWIN Na velha questão sobre a origem da humanidade eu defendo o meio-termo. Um empate entre Darwin e Deus. Aceito a tese darwiniana de que o Homem descende do macaco, mas acho que Deus criou a mulher. (*Cf. Adão e Eva*)

DECEPÇÃO Lembro-me da decepção que foi ouvir uma gravação do T.S. Eliot declamando seus próprios poemas. Era uma leitura tão diferente da minha, silenciosa, que concluí que ele não entendia o que tinha escrito.

DEFUNTO A coisa mais triste de um defunto são os bolsos. A morte é um assaltante. Nos mata e nos esvazia os bolsos.

DEMOCRACIA Toda a história da democracia no Brasil é a história da educação da nossa elite na arte de não mudar nada, ou só mudar o suficiente para não perder o controle.

DESCOBRIMENTO Tu, piniquim. Eu, ropeu.

DESCONTOS Toda mulher é solidária na pechincha.

DESCRENÇA Não existem ateus em trincheiras, aviões passando por turbulência e campanhas eleitorais. (*Cf. Ceticismo*)

DESEJO Vou morrer sem realizar o meu grande sonho: não morrer nunca.

DESENHOS Tenho um problema curioso, para um desenhista. Não sei desenhar. Isto não me impede de insistir com o desenho, apesar dos conselhos de amigos, das indiretas da família e de telefonemas ameaçadores.

DESGASTE Cheguei a 2002 e ao fim de mais uma decisão de Copa com a participação do Brasil, que sempre são as mais emocionalmente desgastantes, em razoável estado. Com fígado para as comemorações e um cérebro em condições perfeitas para saber o que está acontecendo. E um cérebro em condições perfeitas para saber o que está acontecendo, ou eu já disse isto? (*Cf. Cérebro*)

DESLUMBRAMENTO Muitos dos astronautas americanos que andaram no espaço depois tornaram-se místicos. Sentiram o desencontro entre a imensidão da sua experiência e a sua pequena capacidade para verbalizar seu deslumbramento. O misticismo é o deslumbramento mal resolvido.

DESODORANTE Devemos à mulher a civilização e todos os seus benefícios, inclusive o desodorante. Mas a evolução ainda não acabou. Ainda temos muito que progredir para não fazer feio aos olhos delas, e, finalmente, merecê-las.

DESORGANIZAÇÃO Só consigo trabalhar tanto porque sou desorganizado.

DESPERDÍCIO O maior exemplo de desperdício da história do cinema, sem contar a batalha naval em Cleópatra, foi aquele filme em que a Nastassja Kinski passa o tempo todo dentro de uma fantasia de gorila.

DÉSPOTAS A teoria da escolha divina não convence mais. O dedo de Jeová anda meio desprestigiado.

DESTINO Duas vezes é coincidência, três vezes é mistério, quatro vezes é mensagem, cinco vezes é destino.

DETALHE Devemos nos consolar com o seguinte pensamento: só um detalhe nos separa da fortuna e da solução de todos os nossos problemas. Foi a mãe do Bill Gates que teve o Bill Gates, não a nossa. E você acertar todos os números de uma Sena acumulada menos um, esse um é o detalhe. Esse um decide o seu destino. O detalhe é como o vidro de um aquário. Um vidro com poucos milímetros de espessura através do qual você vê claramente os peixes coloridos e as plantas exóticas do outro lado. Os milímetros do vidro do aquário separam dois mundos inteiramente diferentes. Só um detalhe parecido separa você de outra vida.

DEUS Deus, se não é brasileiro, é simpatizante. (*Cf. Crença*)

DEVASSO Por alguma razão, nada me parece tão lúbrico e devasso quanto anões besuntados numa orgia. Mas não falo por experiência. (*Cf. Branca de Neve*)

DIÁLOGO Não duvido que são Francisco de Assis conversava com os pássaros, eu só me admiro de eles terem tido assunto.

DICIONÁRIO Como se sabe, "alvedrio" foi uma das cinco ou seis palavras que Aurélio Buarque de Holanda pediu para serem enterradas junto com ele.

DIETA É fácil fazer regime, eu mesmo começo um novo todas as segundas-feiras.

DINHEIRO Não sei se o capitalismo tem futuro, mas dizem que está dando um dinheirão.

DINOSSAURO Só para se ter uma ideia do tamanho de um dinossauro: se ele fosse colocado lado a lado com um ônibus, os ocupantes do ônibus fugiriam, apavorados.

DIPLOMATAS Nas suas erupções, como nos arrotos, todos os homens falam a mesma língua. As conferências de paz deviam ser entre os mais mal-educados de cada nação. Talvez seja por isso que nunca dão certo: sempre mandam os diplomatas.

DIRETORES Como os seus vinhos, os diretores da França e da Itália também envelhecem de forma desigual: Truffaut resistiu mais do que Godard e Resnais, os Fellinis são hoje mais tragáveis do que os Antonionis, embora na época parecessem mais ralos, e nenhum bate um bom Monicelli guardado na temperatura adequada.

DISTRAÇÃO A gente se distrai e, quando vê, está com oitenta anos. É injusto isso.

DITADORES No Brasil achamos que a normalidade democrática é o problema, que só alguém suficientemente doido pode vencê-la e nos salvar. Nossas únicas opções para que as coisas mudem são os ditadores ou os loucos, e só a benevolência divina nos poupou até hoje de alguém que acumulasse as duas condições.

DIVÓRCIO A principal causa de divórcio no Brasil é a mulher raspar as pernas com o aparelho de barba do marido e depois não limpar. Em segundo lugar vem o adultério e, em terceiro, o ronco. (*Cf. Separação*)

DOCES Quando me vinha a vontade incontrolável de chupar uma bala, eu acendia um cigarro.

DOENÇA Hipocondria é a única doença que eu não tenho.

DRIBLES A diferença entre um lance de gênio e apenas mais um drible improdutivo muitas vezes é só uma questão de milímetros.

DRINQUES Em Havana bebe-se cubalibríssima — só rum, sem coca-cola.

DROGAS Sou pela liberação da maconha, porque não há como controlar. Como dizem na minha terra, para besteira e financiamento do Banco do Brasil, sempre se arranja um jeito.

DUBLAGEM E disse Jeová que os homens se espalhariam pela terra falando línguas diferentes, e que a proliferação de línguas traria a discórdia, as guerras e, pior, a dublagem.

Ee

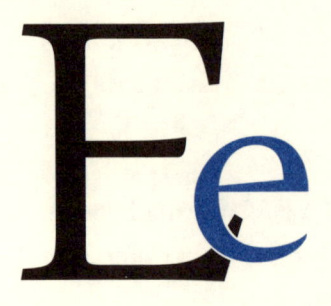

O **E** é uma conjunção importantíssima. Sem o E, muitas frases ficariam ininteligíveis, dificultando a comunicação entre as pessoas. Em compensação, não existiriam as duplas caipiras.

E-BOOKS A morte do livro vem sendo preconizada há tempos, e nunca acontece. É uma das mais longas agonias de que se tem notícia. Só vou aceitar os e-books quando tiverem cheiro de livro.

ECONOMIA A economia trata de dois fatos humanos que pouco se prestam à sentimentalização: os números e a ganância.

EDUCAÇÃO SEXUAL Tem homem que pensa que "educação sexual" quer dizer bater antes de entrar.

ELEIÇÕES Se muitos brasileiros não sabem escolher seus governantes, como é que seriam escolhidos os poucos brasileiros que supostamente sabem? (*Cf. Políticos*)

ELEFANTES É sabido que os velhos elefantes, quando sentem que a morte se aproxima, afastam-se da manada para morrer sozinhos. Não querem sentimentalismo nem cerimônia. Morrer é uma coisa privada que requer um certo pudor.

ELEITORADO Eleição não dói. Não requer habilidade, embora requeira alguma prática. Aos poucos vai. Já conseguimos ampliar o eleitorado, de meia dúzia para oitenta milhões. O resto vem com a prática. (*Cf. Voto*)

ELIS Elis Regina foi uma grande cantora de jazz, mesmo sem cantar músicas do gênero. Foi como o Frank Sinatra, que era sempre considerado um cantor de jazz, apesar de raramente improvisar.

ELITES O Brasil é governado

por minoria esmagadora. (*Cf. Mudanças*)

ELIZETE CARDOSO Elizete Cardoso inaugurou várias fases da música popular brasileira. Foi a primeira "grande dama" do samba, a primeira a tornar o sambista respeitável e aceito no salão de recitais tanto quanto no auditório da rádio. Gravou a primeira música em que aparecia a batida da bossa nova, "Chega de saudade". Artistas como Elizete são dobradiças, sem elas as coisas não viram. (*Cf. Bossa Nova*)

ENGARRAFAMENTO Brasileiro gosta de engarrafamento. Diz que não gosta, mas adora. Brasileiro tem a volúpia do entrave. Tudo o que flui muito rapidamente, sei lá, não parece natural.

ENÓLOGOS Uma suposta cultura enológica só depende de ter uma pose, duas ou três frases e uma razoável pronúncia em francês. Já se disse mais bobagem sobre vinhos do que sobre qualquer outro assunto, com a possível exceção do orgasmo feminino e da vida eterna. (*Cf. Infância*)

ENTREVISTA Quando falo em público, não sei quem sofre mais, se sou eu ou se é o público. Prefiro tomar injeção a dar entrevistas. (*Cf. Off*)

EPIFANIA Estava lendo e tive uma hipofania, que é o nome adequado para uma revelação do óbvio, ou uma epifania de cavalo.

EPITÁFIO Meu epitáfio: "Por favor, deem outra sacudida!".

EREÇÃO Me lembro da adolescência como uma ereção ininterrupta. Bom, nada. Era um martírio. (*Cf. Hormônios*)

ERICO VERISSIMO Não sei quem me influenciou. Talvez meu pai, que foi um dos primeiros a escrever com a informalidade que também busco.

ERRATAS Os jornais só acertam o nome do Zico porque é curto.

ESCANTEIO A única diferença entre uma festa de amasso e a cobrança de um escanteio é que na grande área não tem música.

ESCARGOT O homem é o único animal que gosta de escargots (fora, claro, o escargot).

ESCOLA DE SAMBA O Carnaval já existia na Europa quando o Brasil foi descoberto, só que com roupa. Ele veio nas caravelas portuguesas junto com o nosso descobridor, Pedro Álvares Cabral, e aqui incorporou elementos nativos como bateria, baianas, bicheiros, cambistas e, claro, a principal contribuição do Novo Mundo ao rito milenar, a miçanga. (*Cf. América*)

ESCOLHAS Todo homem é a soma não das suas decisões, mas das suas hesitações, ou do que, pensando melhor, decidiu não fazer.

ESCREVER Faz parte da arte de escrever a distribuição sagaz de espaços abertos, como os jardins nas casas. Assim respira o texto e respira o leitor. Toda arquitetura, de pedra ou palavra, deve ter aberturas bem-postas por onde circule o ar e cure-se a opressão. (*Cf. Clareza*)

ESCRÚPULO Toda liberdade é condicional. Você não pode dizer que é absolutamente livre — a não ser que tenha asas, um cartão de crédito internacional sem limite e saúde para usá-los. E nenhum escrúpulo. (*Cf. Tiranos*)

ESDRÚXULO Ainda bem que "esdrúxulo" nunca aparecia nas leituras da infância, senão teria nos desanimado. Eu me recusaria a aprender uma língua se soubesse que ela continha a palavra "esdrúxulo". Teria fechado a cartilha e ido jogar bola, para sempre.

ESGUEIRAR-SE É a arte de andar entre pingos de chuva ou sob marquises. Sua principal característica é que nunca dá certo.

ESPANHA Todo julgamento que se fizer da Espanha será um mal-entendido. A alma espanhola é como uma arena de touros onde um não espanhol, por mais que tente, jamais passará de um turista abismado.

ESPANTO AH: Interjeição, usada para indicar espanto, admiração, medo. Curiosamente, também são as iniciais de Alfred Hitchcock. (*Cf. Hitchcock*)

ESPÉCIE Tudo de bom que eu ouvi até hoje sobre a espécie humana foi dito por seres humanos. Eu queria uma opinião independente!

ESPELHO O espelho nos mostra o nosso contrário, nossa esquerda na nossa direita, mas este é o limite máximo da sua dissimulação. Fora isso, ele é de uma franqueza brutal e irrecorrível.

ESPORTE Na dualidade mente/corpo no esporte, a mente se sobrepõe ao corpo. Mas o corpo tem mais espaço para a publicidade.

ESPREGUIÇADEIRA Nunca um nome descreveu uma coisa tão bem. O próprio comprimento da palavra é descritivo, você vê "espreguiçadeira" no papel e está vendo a cadeira aberta e espichada, você deitado nela com a cabeça para trás e as pernas estendidas.

ESQUERDA Como se distingue um esquerdista de um direitista no Brasil? Até pouco tempo era fácil, esquerdista tinha barba.

ESQUINA Já se disse que os franceses reverenciam duas coisas, o Estado e o bar da esquina. Têm um certo desdém por tudo que existe entre esses dois polos.

ESTAÇÕES A primavera é um descontrole glandular da natureza. O inverno é o preço que a gente paga para ter o outono, e por isso está perdoado. O verão é uma indignidade.

ESTÁTUAS As estátuas de poetas são a sucata da poesia.

ESTILO A má literatura é a literatura em estado puro, intocada por distrações como estilo, invenção, graça ou significado, reduzida apenas ao ímpeto de escrever.

ESTRELAS Como todos os impérios, o de Hollywood também se impôs destruindo culturas nativas e escravizando mentes. A diferença é que contra o feitiço desse império não bastam a reação econômica e a sublevação social — nunca escravos quiseram tanto continuar escravos, ainda mais se os feitores forem a Sharon Stone sem calças ou o Richard Gere sem camisa.

ESTUPIDEZ O único engajamento político que se deve pedir a um artista é o de retratar a estupidez humana e usar sua criação como um testemunho contra. Se não fosse pelos artistas, a crueldade da história não deixaria vestígios.

ETERNIDADE Quanto à vida eterna minha preocupação não é se existe ou não, é chegar lá e encontrar os melhores lugares tomados por quem foi primeiro. Os etruscos devem ter todas as coberturas, os fenícios os terrenos do lago e a gente acaba ficando num quarto debaixo de uma escola de dança flamenca, para sempre.

ETIQUETA Uma vez o escritor americano Herman Mackienwicz foi convidado para jantar na casa de um produtor de cinema em Hollywood famoso pelo seu esnobismo. Para o produtor, as regras da mesa eram sagradas. Mackienwicz já chegou ao jantar bêbado, continuou bebendo vinho durante a refeição e, um pouco antes da sobremesa, vomitou espetacularmente em cima da mesa. Diante do escândalo geral, o escritor virou-se para o seu anfitrião e o acalmou: "Não se preocupe, meu caro. O vinho branco voltou junto com o peixe...". Ninguém jamais disse coisa tão definitiva sobre a etiqueta.

EUA Os americanos salvaram o mundo... E ficaram com ele. (*Cf. Assédio*)

EUROPA A Europa é o que a gente vê na fresta entre um turista americano e outro.

EXAGEROS Diziam que quem ficasse sentado na frente do café Deux Magots em Paris por um tempo indeterminado veria passar todo o mundo à sua frente. Um exagero, claro, parecido com aquele dos mil macacos ao teclado de mil computadores, que no fim de um milhão de anos (estamos falando de macacos longevos) teriam reescrito toda a obra de Shakespeare — e ido comemorar no Deux Magots, presumivelmente.

EXCÊNTRICO Um excêntrico é um louco com saldo bancário.

EXEMPLO As ideias não podem ser desperdiçadas, mesmo que nos custem os amigos, a vida ou o sono. Imagine se Shakespeare tivesse se horrorizado com suas próprias ideias e deixado de escrevê-las por puro comedimento. Não que eu queira me comparar a Shakespeare. Shakespeare era bem mais magro. (*Cf. Clássicos*)

EXIBIDOS Dentro de cada Elke Maravilha existe um tímido tentando se esconder e dentro de cada tímido existe um exibido gritando "Não me olhem! Não me olhem!" só para chamar a atenção. (*Cf. Notoriedade*)

EXPECTATIVA O regime atual no Brasil é a monarquia. Reina a expectativa.

EXPERIÊNCIA No Brasil, desperdiça-se tudo, até a má experiência. Aqui o purgante não faz efeito, o susto não educa e os gatos escaldados correm todos para a panela.

EXPLICAÇÕES O político brasileiro, uma vez eleito, se sente a salvo em outro país, o Brasil oficial, que não deve nada ao Brasil de verdade, muito menos explicações. (*Cf. Cassações*)

EXPRESSÕES Nunca entendi a expressão "papas na língua". Sempre a achei vagamente anticlerical.

EXTENSÃO TERRITORIAL Somos um país muito grande governado por irmandades muito pequenas, e pagamos pelos dois extremos.

EXTRATERRENOS Na literatura e no cinema seres de outros mundos são sempre superiores a nós, mesmo que tenham a pele ruim.

EXTREMOS A jornada que tantos desta geração fizeram, da

extrema esquerda para a extrema direita, tem uma explicação fácil: a vocação deles era mesmo pelo extremo. (*Cf. Omelete*)

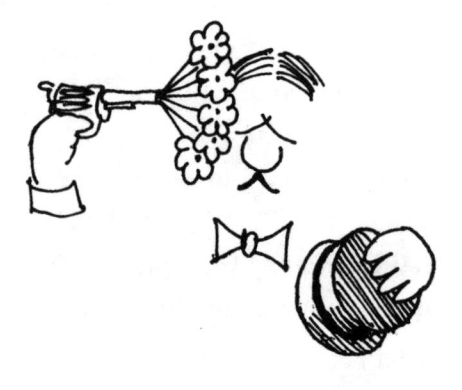

Ff

FALATÓRIO Italiano fala até com uma mão atada às costas.

FALCATRUAS Nossa alma amazônica não se satisfaz com pequenas falcatruas, queremos pororocas de sujeira, dilúvios de canalhice.

FALSIFICAÇÃO Uma imitação perfeita só deixa de ter o mesmo valor do original quando é descoberta. Dizem que várias obras atribuídas a Rembrandt não são dele, são de um falsificador. Mas continuam nos museus, encantando todo o mundo. Por que estragar o prazer de ver ou ter um Rembrandt por um detalhe?

FAMA Certas cidades não conseguem se livrar da reputação injusta que, por alguma razão, possuem. Algumas das pessoas mais sensíveis e menos grossas que eu conheço vêm de Bagé, assim como algumas das menos afetadas são de Pelotas. Mas não adianta.

FAMÍLIA Ninguém escolhe a família em que vai nascer — ou seja, a forma do seu nariz e a sua herança.

FASCINAÇÃO Nossa relação com o cinema é sempre a da fascinação infantil.

FÉ Só acredito naquilo em que posso tocar. Não acredito, por exemplo, em Luiza Brunet.

FELICIDADE A felicidade é sempre uma acomodação.

FELLINI Sendo o mais narcisista, Fellini é o mais italiano dos diretores italianos. E o mais divertido.

FÉRIAS
Praia! gritou a filha.
Serra! gritou o filho.
Quintal sugeriu o pai,
pensando na crise.

FERIDAS As feridas de uma grande paixão precisam de tempo para cicatrizar e criar casca. No caso de adolescentes, no mínimo de sete dias.

FESTA Uma boa festa de aniversário deve ter no mínimo vinte crianças, sendo uma de colo, que chora o tempo todo, e uma maior do que as outras, chamada Eurico, que bate nas menores e acabará mordida pelo cachorro, para a secreta satisfação de todos.

FHC Fernando Henrique Cardoso é o nosso primeiro presidente que pode ler Eça de Queiroz no original.

FICÇÃO A ficção é sempre uma invenção, o que não significa que seja sempre uma invenção mentirosa. Há autores que inventam grandes verdades. (*Cf. Recordar*)

FILHOS A gente não faz filhos. Só faz o layout. Eles mesmos fazem a arte-final.

FILMES A segunda melhor coisa que você pode fazer no escuro é ver um filme. A primeira é ver um grande filme.

FILOSOFIA É tudo o que você diz com o olhar parado — a não ser que você esteja dando um pum.

FLORENÇA Passar dois dias em Florença é um pouco como entrar no Louvre só para usar o banheiro. (*Cf. Louvre*)

FLORES De noite os girassóis olham para o chão.

FOGO O fogo era, de certa forma, a televisão da pré-história — com uma programação muito melhor.

FOME Livre de verdade é quem é livre da fome, da miséria, da injustiça, da liberdade predatória dos outros. (*Cf. Escrúpulo*)

FONDUE As únicas contribuições da Suíça à civilização foram Calvino e o fondue de queijo. (*Cf. Suíça*)

FORMIGA Eu não acredito em reencarnação. Mas, por via das dúvidas, depois que eu me for, não pisem em nenhuma formiga que lhes parecer familiar.

FRAGRÂNCIA Tenho experimentado uma nova água de colônia máscula chamada "Lenhador". Não dá muito resultado com mulheres, mas não posso andar no mato sem ser seguido por uma fila de castores.

FRALDAS Quem nunca trocou uma fralda com cocô será sempre um pai incompleto e um descompromissado com a família e com o, por assim dizer, barro do mundo. E, principalmente, jamais poderá apelar para a suprema chantagem sentimental, quando se sentir desafiado por um filho: "Eu limpei o teu cocô, animal!".

FRANCESES Os franceses se declaram desolê por qualquer coisa. Você os deixa desolados, desconsolados, arrasados com o menor pedido que não podem atender, ou com a menor demonstração de decepção ou descontentamento. É uma declaração tão forte de contrição e empatia que, mesmo automática e distraída, deixa você sem ação. O que mais você pode pedir de quem está pensando no suicídio por sua causa? Desolê absolve tudo.

FRANQUEZA A vida me ensinou uma coisa importante: nunca acredite quando alguém diz "você pode falar com toda a franqueza".

FRASES A boa frase também é uma maneira de conviver com o inexprimível. Dá-se nome às coisas para domá-las.

FRESCURA O futebol, como o pôquer, precisa manter-se em vigilância constante contra as incursões da frescura.

FREUD Dos seus tempos de repórter em Viena, o diretor Billy Wilder gostava de contar da vez em que foi posto para fora da casa de Sigmund Freud, não sem antes espiar o seu gabinete e notar como era curto o famoso divã em que "herr Doktor" colocava seus pacientes — e concluir que todas as teorias freudianas eram baseadas na experiência de neuróticos pequenos.

FRIEZA Numa mesa de pôquer o homem chega ao pior e ao melhor de si mesmo, e vai da euforia ao ódio numa rodada. Mas sempre como se nada estivesse acontecendo.

FRIO Em Nova York pegamos frio de chegar no hotel e contar as orelhas para ver se nenhuma tinha caído na calçada.

FRUTA A fruta é um estratagema da árvore para proteger a semente. A fruta é uma etapa, não é o fim. A própria fruta, se soubesse a importância que nós lhe damos, enrubesceria como uma maçã na sua modéstia. (*Cf. Banana*)

FRUTO PROIBIDO Não se sabe ao certo que fruta caiu na cabeça de Isaac Newton para que ele descobrisse a gravidade, mas na História ficou que era uma maçã. A maçã parece que está sempre querendo nos dizer alguma coisa. (*Cf. Adão e Eva*)

FÚRIA Não sei se dá para notar que em vez de pontos nos meus "is", tem furos. Isto sempre acontece quando eu escrevo com fúria. Ainda bem que nunca uso trema, senão inutilizaria o papel.

FUTEBOL Só o futebol permite que você sinta aos sessenta anos exatamente o que sentia aos seis. Todas as outras paixões infantis ou ficam sérias ou desaparecem, mas não há uma maneira adulta de ser apaixonado por futebol. Adulto seria largar a paixão e deixar para trás essas criancices: a devoção a um clube e às suas cores como se fosse a nossa outra nação, o desconsolo ou a fúria assassina quando o time perde, a exultação guerreira com a vitória. Você pode racionalizar a paixão, e fazer teses sobre a bola, e observações sociológicas sobre a massa ou poesia sobre o passe, mas é sempre fingimento. É só camuflagem. Dentro do mais teórico e distante analista e do mais engravatado cartola aproveitador existe um guri pulando na arquibancada.

ARGENTINO Na Argentina, dá certo tudo o que não é esquema tático: carisma, coração, picardia, até mau caráter, todas essas coisas que vêm antes, depois ou em vez da teoria.

BELGA A seleção da Bélgica sempre joga direitinho, a única coisa a decidir sobre a Bélgica em todas as Copas do Mundo é se ela é uma mediocridade competente ou uma competência medíocre.

ESPANHOL A Espanha, com seu famoso toque-toque, nunca deixa seu centroavante sozinho. O time chega sempre junto ao seu centroavante, em comitiva, lhe traz mantimentos, notícias de casa e conforto espiritual.

INGLÊS A Inglaterra, no futebol, é um pouco como a Itália na pintura: ensinou todo mundo e depois esqueceu como se faz.

IRLANDÊS A seleção da Irlanda sempre me dá a impressão de ter sido convocada pelo critério conhecido nas ilhas britânicas como "HY". Escolhem um treinador e o treinador escolhe um pub. Entra no pub, vê quem tem cara de jogador de futebol ou bandido ou, de preferência, as duas coisas, e diz "Hey, you!". Muitos se apresentam para o treinamento ainda com o copo de cerveja na mão.

FUTURO O futuro era muito melhor antigamente.

G

GALANTEIO A diferença entre um galanteio e uma ofensa, muitas vezes, é a oportunidade.

GALINHA A galinha é um bicho paradoxal. Vive em constante sobressalto e, no entanto, produz essa coisa ponderada e lógica que é o ovo, a forma mais perfeita conhecida pelo mundo até aparecer a Rose di Primo.

GANÂNCIA O homem é o único animal que sempre quer mais do que precisa. O homem é o homem porque quer mais.

GARÇONS Não sei se sou só eu, mas sempre tenho a impressão de que o maître desaprova o meu pedido, o vinho que escolhi, o jeito que pego na faca e o tom dos meus sapatos. E também não está muito entusiasmado com a minha existência. Sempre dou gorjeta para o garçom, mas para o maître, nunca. Conheço meus inimigos. (*Cf. Maître*)

GARRAFA TÉRMICA A garrafa térmica aumentou em muito a mobilidade do gaúcho já que chaleira e lenha vermelha são difíceis de carregar — e é hoje a segunda maior responsável pela evasão de gaúchos para outros estados, depois do governo. (*Cf. Grenal*)

GARRINCHA Garrincha foi o último jogador folclórico do futebol brasileiro que deu certo. (*Cf. Craques*)

GASTRONOMIA A gastronomia é a única arte que literalmente consome o seu objeto. O gourmet não tem o que colecionar ou contemplar, a não ser boas lembranças. (*Cf. Culinária*)

GAÚCHOS Nunca usei bombacha, não gosto de chimarrão e nem de me lembrar da última vez que subi num cavalo. Aliás, o cavalo também não gosta.

GENEALOGIA Não foi fácil aceitar macacos na nossa árvore genealógica. Eu, por exemplo, ainda digo que meus antepassados não descenderam de chimpanzés, foram adotados.

GENERAIS Há algumas décadas instituímos no país a democracia condicional. Qualquer um podia ser presidente da República, desde que tivesse quatro estrelas. O que restringia a escolha a generais e hotéis.

GENERALIZAÇÕES Generalizar é humano, mas quem parte de uma amostra limitada para chegar a uma conclusão categórica pode acabar imitando aquele extraterreno que desceu no meio de uma colônia de pinguins e depois informou ao seu planeta que os habitantes da Terra não tiram o fraque nem para nadar.

GENTILEZA A Copa de 1970 no México foi a desforra de Pelé, um lance da sua biografia que ele gentilmente compartilhou com o Brasil.

GERAÇÕES Além dos sinais externos que nos denunciam — cabelos brancos, cabelo nenhum, rugas, barrigas, essas indignidades —, as gerações se reconhecem pelos jogadores de futebol que têm na memória. (*Cf. Monotonia*)

GERALDINOS O frequentador da geral é o único torcedor autêntico do futebol. Não é o espetáculo que o atrai. Dali onde ele fica não se vê espetáculo algum. A única visão desimpedida que ele tem é dos fundilhos do bandeirinha, o resto ele adivinha. O geraldino está ali porque tem que estar. Seu compromisso não é com o jogo, que ele não vê, é com o time. Como não enxerga os detalhes, vive apenas os momentos decisivos do jogo, as grandes explosões. O resto é uma angústia cega, de pescoço esticado.

GIGOLÔ Sou um gigolô das palavras. Vivo às suas custas.

GOL Se agarram, rolam pelo chão abraçados, se beijam com fervor... Se não foi gol, é amor.

GORDOS Gordos desenvolvem uma irônica cautela como um estratagema de sobrevivência — é mais fácil explicar do que correr.

GORDURA Evite gordura saturada. Nunca coma uma vaca com sinais de estresse.

GORJETA A gorjeta é uma espécie de taxa-vexame que você paga ao garçom por ainda existir. Um suborno para ele esquecer tudo e você aplacar sua consciência. É como dizer "eu sei, eu mesmo devia me levantar e ir à cozinha buscar meu prato como mamãe me ensinou, sou uma besta, o mundo é injusto, toma aí para uma cervejinha".

GOURMET Alguém já disse que o gourmet é o cara que se preocupa mais com a pronúncia certa que com o gosto do que come, o que não é o meu caso.

GRAFITES Os grafites em paredes de banheiros públicos documentam as piores taras e os piores ressentimentos, e portanto o melhor humor da humanidade.

GRAMÁTICA A gramática precisa apanhar todos os dias para saber quem é que manda.

GRANDEZA Toda grande obra de arte talvez dependa de uma certa megalomania do seu autor. Só a convicção inabalável de que era Beethoven permitiu a Beethoven compor as suas sinfonias, por exemplo.

GRENAL Temos no Rio Grande do Sul uma longa tradição de divisões apaixonadas, e o futebol reflete esse nosso pendor. Que, felizmente, não inclui mais degolar o inimigo, embora às vezes dê vontade. (*Cf. Garrafa térmica*)

GUERRA NUCLEAR Até pouco tempo previa-se que Rússia e Estados Unidos se destruiriam mutuamente num holocausto nuclear que acabaria com a vida no planeta, salvo dezessete chineses, que começariam tudo outra vez.

GUERRAS Desconfie sempre dos que pregam banhos de sangue, eles sempre se referem ao sangue dos outros.

GUITARRA Tenho certeza de que o "tuaaaaaing" de uma guitarra elétrica será a trilha sonora do Apocalipse. Que receberei com emoções conflitantes. O fim do mundo será chato, claro. Estragará todos os nossos planos. Mas me consola saber que, junto com o mundo, acabará o rock.

GUNGA DIN Devo ter visto *Gunga Din* umas vinte vezes. Bons tempos em que a gente podia torcer pelos soldados e os colonialistas sem culpa. Índios eram traiçoeiros, anti-imperialistas eram bandidos fanáticos, a vida era mais simples. Depois viramos intelectuais. (*Cf. Intelectuais*)

H

HAMLET Ser ou não ser? Ser, claro. Se bem que não ser tem algumas vantagens fiscais.

HEMINGWAY Ernest Hemingway propôs a sua obra como uma longa negociação com a morte e a sua vida como prova de que não faltou a nenhum dos encontros.

HENFIL O mais importante humorista da época da censura foi o Henfil, um cartunista. Fazia críticas aos governos e aos militares, mas disfarçadas pelo desenho. Por alguma razão, a gente podia dizer coisas com os cartuns que não era possível expressar no texto. Talvez porque o desenho tenha essa conotação de algo lúdico, infantil.

HEREDITÁRIO Um homem tem a cara do seu tempo mais do que a cara do seu pai. (*Cf. Bebês*)

HERÓI O herói é o deus democrático, eleito pelos seus semelhantes, ao contrário do deus clássico que já nasceu deus.

HIGIENE O sexo estimula a higiene pessoal e é a segunda causa da cueca limpa no Brasil, depois da visita ao médico. (*Cf. Cueca*)

HINOS A "Marselhesa" tem tamanha carga dramática e é tão empolgante ("Às armas, cidadãos!") que dá uma vantagem injusta aos jogadores franceses, que já começam o jogo mais motivados do que os adversários, prontos para derrubar a Bastilha, qualquer Bastilha. A Fifa deveria dar um ultimato aos franceses: ou outro hino, menos eletrizante, ou o silêncio.

HIPOCRISIA No Brasil parece não haver escolha entre ser bobo e ser cínico.

HIROSHIMA Quando escreverem a história da nossa geração, não duvide, é da bomba de Hiroshima que falarão, e não dos nossos belos olhos.

A PONTA DO ICEBERG

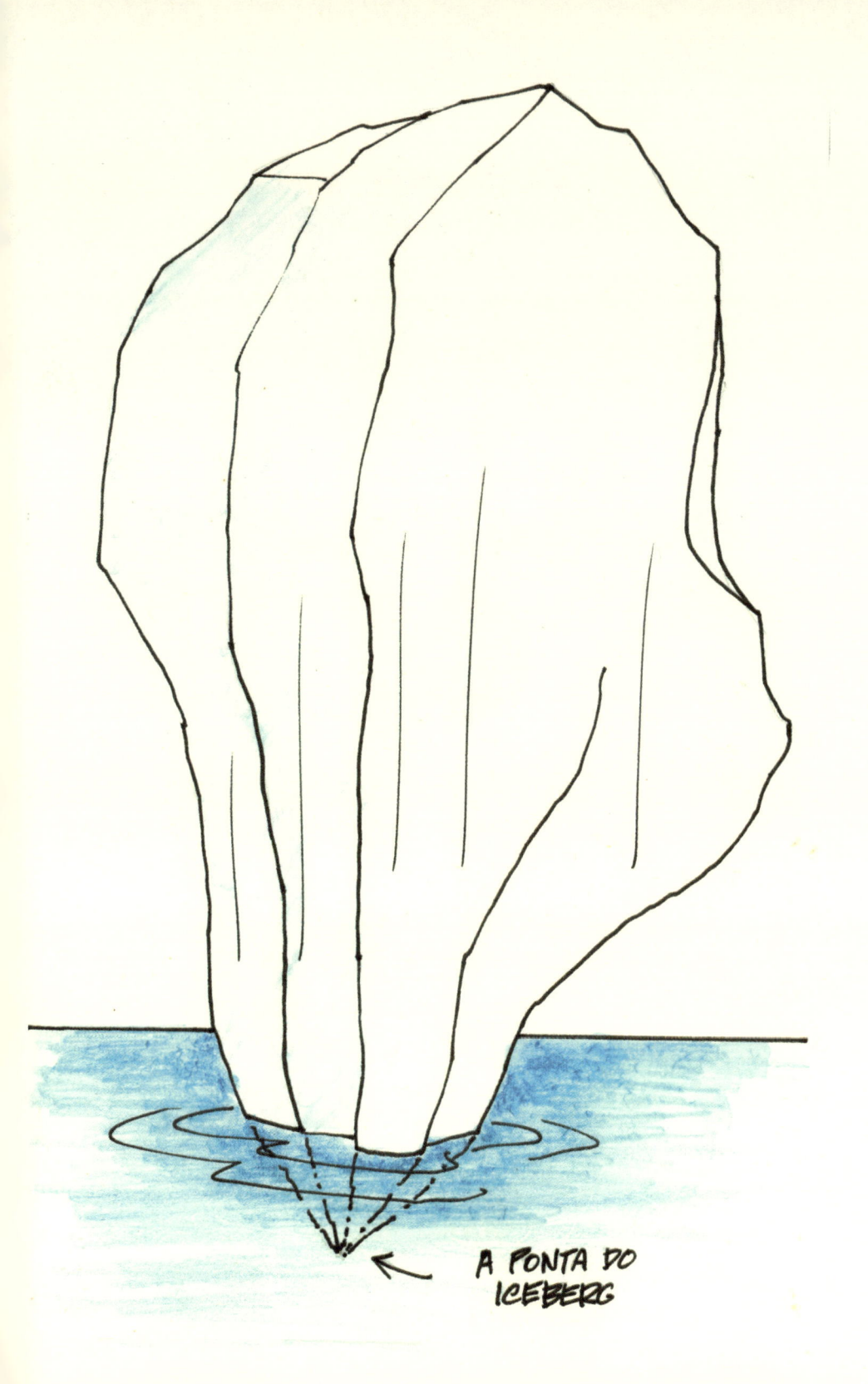

PRONTO. AGORA VAMOS SENTAR E CONVERSAR CALMAMENTE SOBRE A SITUAÇÃO DO PAÍS

NUNCA SE ROUBOU TANTO NESTE PAÍS

JÁ DESCONTADA A INFLAÇÃO

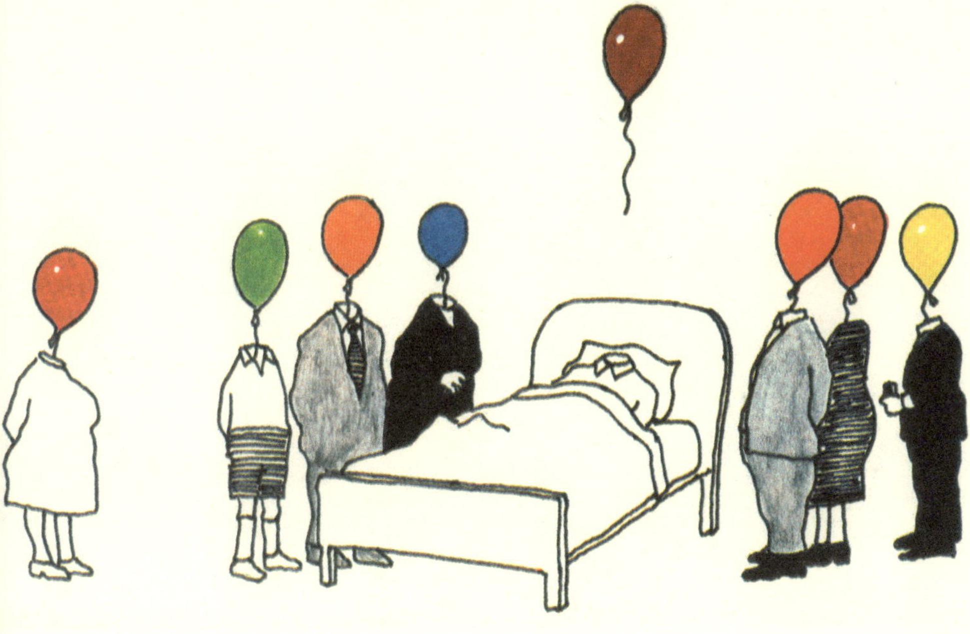

WHA?!

— O AMOR NÃO EXISTE. EXISTE O SEXO

— E O AMOR DE MÃE?

— E SUAS PERVERSÕES, BEM LEMBRADO

TODO BRASILEIRO É CORRUPTO

MAS TEM UMA PANELINHA QUE MONOPOLIZA AS VERBAS

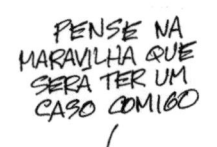

— PENSE NA MARAVILHA QUE SERÁ TER UM CASO COMIGO
— MAS VOCÊ É UM TÍPICO REPRESENTANTE DA BURGUESIA PSEUDO-INTELECTUAL PAULISTA, PRETENSIOSO, PREPOTENTE, ARROGANTE E BOBO

— PENSE NO ALÍVIO QUE SERÁ QUANDO TERMINAR

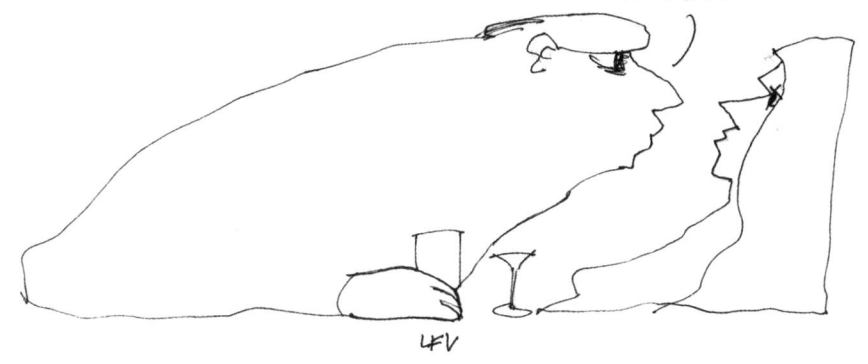

NÃO LIGUE PARA O QUE DIZEM MEUS INIMIGOS, SOBRE OS MEUS GOLPES, AS MINHAS FALCATRUAS, MINHAS CONTAS NA SUIÇA...

MAS EU NUNCA OUVI DIZEREM NADA DISSO DE VOCÊ

NÃO?!

CANALHAS!

LEV

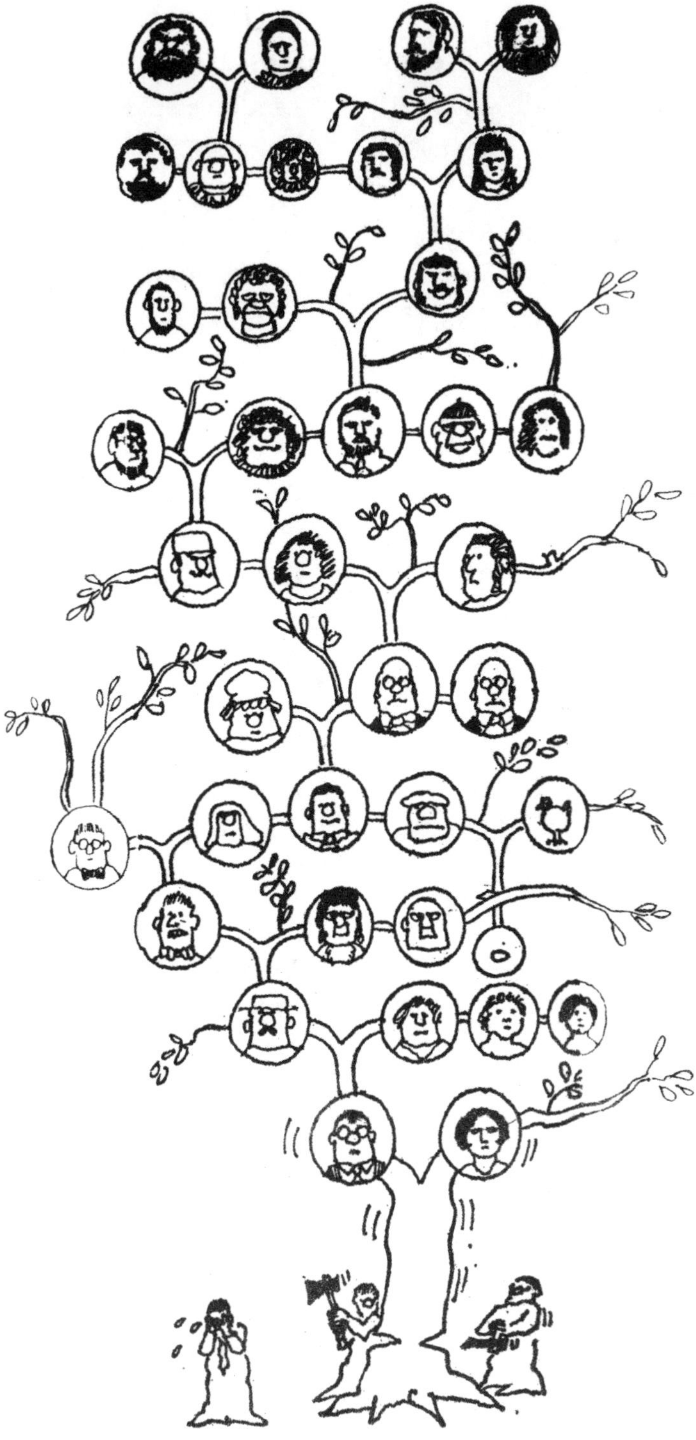

HISTÓRIA A História é um relato da imperfeição humana. A História é o nosso dossiê criminal, nossa culpa documentada.

HISTÓRIA DO BRASIL Não temos uma História, temos uma série de começos em falso. (*Cf. Líderes*)

HITCHCOCK Alfred Hitchcock foi o rei da síntese visual. (*Cf. Pássaros*)

HITLER Conheci dois Hitlers, sendo que um se chamava César Hitler. Como nunca mais ouvi falar deste é óbvio que ele frustrou a esperança que seus pais tinham de que dominasse o mundo. (*Cf. Ditadores*)

HIV Somos a primeira geração da História a temer o termo "positivo".

HOLANDA A Holanda, como se sabe, é um país improvável. A Holanda existe por uma distração do mar do Norte. É só o mar do Norte se dar conta da Holanda e invadir tudo que não sobrará uma tulipa.

HOLLYWOOD Crescemos todos num arrabalde de Hollywood, vendo as suas luzes de longe e sonhando em ser, conhecer ou (mais tarde) comer suas estrelas.

HONESTIDADE É tão fácil roubar no Brasil, são tantas as tentações e tão poucas as probabilidades de castigo que só um caráter incomum explica a honestidade de quem não rouba.

HONRA Todo mundo é honrado até prova em contrário, e no Brasil nunca aparece a prova em contrário.

HORMÔNIOS A adolescência é a velha luta entre neurônios e hormônios. (*Cf. Ereção*)

HORÓSCOPO Quando comecei no jornalismo, fazia de tudo, até o horóscopo. A primeira coisa que fazia ao acordar era ler a previsão que eu mesmo fizera para o meu dia.

HOSPÍCIO Os loucos são livres e vivem presos por isso. (*Cf. Queixas*)

HOSPITAIS Não existem patriotas em filas de hospitais.

HOTEL Se há um momento mágico em qualquer viagem é aquele em que se sai do hotel para dar os primeiros passos numa cidade ainda desconhecida.

HUMANIDADE Não sei para onde caminha a humanidade. Mas, quando souber, vou para o outro lado.

HUMOR Ou encaramos a morte com esse sentido do absurdo ou então nos desesperamos. Eu prefiro encarar como uma piada. (*Cf. Mesa-redonda*)

HUMORISTAS Você pode enganar algumas pessoas o tempo todo, todas as pessoas por algum tempo e até todo mundo o tempo todo, mas tem sempre um debochado.

I i

ICEBERG Alguém já disse, com muita sabedoria, que no fim tudo é só a ponta de um iceberg. Ou seja, há grandes histórias por trás até de uma unha quebrada.

IDEOLOGIAS É só você decidir se é de meia esquerda, um quarto de esquerda, três quartos de esquerda, direita dissimulada, direita responsável ou direita Gengis Khan, e há um partido pronto para você no Brasil. (*Cf. Esquerda*)

IDIOMAS Antes de ir à Califórnia, recomenda-se um curso rápido para aprender o idioma local, pelo menos o suficiente para evitar os mal-entendidos maiores. Também é recomendável aprender o inglês, já que nem todos falam espanhol.

IGUALDADE Todo brasileiro é igual perante a lei, contanto que não seja pé de chinelo, porque aí é culpado mesmo.

IMAGINAÇÃO Cada livro, cada frase, cada palavra e eu diria até cada vírgula e cada ponto é um exercício de liberdade. (*Cf. Vírgula*)

IMPERADORES No Brasil nós tivemos um imperador, dom Pedro Segundo, pertencente a uma das mais antigas famílias reais da Europa, os Segundos.

IMPOSSÍVEL Sonhe o sonho impossível. Nunca se sabe quando uma conjunção de fatos improváveis — o mundo acabar e sobrarem só você e a Patricia Pillar, por exemplo — o tornará possível. (*Cf. Patricia Pillar*)

IMPOSTOS O sexo é uma das últimas coisas boas que se pode fazer no Brasil sem pagar nenhuma taxa.

IMPRENSA A absoluta isenção jornalística é uma fantasia. A imprensa não deve procurar ser imparcial. Deve buscar não ser injusta.

IMPREVISÍVEL O Brasil não é mais um país imprevisível. É um país tristemente previsível. (*Cf. Minutinho*)

IMPROVISO Charlie Parker foi o maior improvisador do jazz até hoje. Um solo seu é ao mesmo tempo uma aventura intelectual e uma experiência emocional.

IMPUNIDADE Nossas instalações carcerárias melhorariam muito se as elites começassem a frequentá-las. (*Cf. Elites*)

INCONFIDÊNCIA John Kennedy gostava de transar numa banheira, e um agente do serviço secreto tinha ordens para mergulhar a cabeça da sua parceira na água na hora do clímax, porque o susto provocava uma contração vaginal na moça. Inconfidência do Gore Vidal, que ninguém queira ter como inimigo. Ou, pensando bem, amigo.

INDEPENDÊNCIA Todos deviam ser donos do seu nariz, mas infelizmente isto não acontece. Num país como o Brasil o sonho do nariz próprio continua inalcançável para a maioria.

INDICADOR Depois do polegar, o dedo mais importante é o indicador. É o dedo que se usa em algumas tarefas indispensáveis para a sobrevivência da espécie, como chamar o elevador ou o garçom e disparar foguetes. Mas também é o dedo da acusação e da delação. Sua utilidade é indiscutível, mas seu caráter é duvidoso.

INDIGNAÇÃO Escrevi diversas cartas sobre direitos humanos, a má distribuição da renda e a absurda insistência com Gil na ponta-direita da seleção, mas sem nenhum resultado prático. Desconfio que as cartas nem foram entregues. Decidi abandonar os meios legais e partir para a ação. Mordi o nosso carteiro.

INDÚSTRIAS Se o capitalismo fosse uma religião era na direção de Detroit que todos os fiéis do mundo deveriam se curvar pelo menos uma vez por dia.

INFÂNCIA Uma das grandes vantagens da infância é que não temos um gosto refinado.

INFERIORIDADE Só alguém que se acha muito superior procura o analista para tratar um complexo de inferioridade, porque só ele acha que se sentir inferior é doença. (*Cf. Freud*)

INFERNO Sempre achei que, se houver inferno, ele é um hotel de praia num dia de chuva. (*Cf. Eternidade*)

INFINITO O xadrez é a última tentativa humana de conviver inteligentemente com o infinito. (*Cf. Boxe*)

INFLAÇÃO Tempo, no Brasil, não é dinheiro. É deságio.

INFLÁVEL O homem não é o único animal que faz sexo, mas é o único que faz um boneco inflável da fêmea.

INFLUÊNCIAS A influência mais direta sobre as Cobras é a de Pogo, de Walt Kelly, que eu lia muito há alguns anos. Mas a semelhança entre as histórias — se existe — é apenas de espírito. O desenho é completamente diferente. Kelly era um veterano dos estúdios Disney. Seus personagens tinham mãos. Alguns, até dedos!

INFORMAÇÃO Devo ter um tipo universal de cara, pois sou constantemente solicitado a fornecer informações na rua. E nunca me nego: já dei direções erradas em várias partes do mundo, no idioma da terra ou numa mímica convincente.

INFORMALIDADE Quando carioca encontra alguém e diz "Meu querido!", quer dizer que não se lembra do nome.

INGENUIDADE Existem dois tipos de ingenuidade: a dos que acham que tudo é como parece e a dos que veem um mecanismo secreto por trás de tudo.

INGLATERRA Os ingleses foram conquistar o mundo para fugir da sua cozinha.

INICIATIVA Não se pode ficar

esperando que a vida nos tire para dançar, nós é que temos que persegui-la, enlaçá-la e sair rodopiando.

INIMIGOS O amor tem mil inimigos, mas o pior deles é o tempo. O tempo ataca em silêncio. O tempo usa armas químicas.

INJEÇÃO LETAL A injeção letal é uma tentativa de justiça subcutânea.

INSEGURANÇA Uma dúvida me assalta. É tamanho o clima de insegurança nas grandes cidades que até as dúvidas estão assaltando. (*Cf. Cidades*)

INSIGNIFICÂNCIA A nossa insignificância diante do Universo infinito é um negócio chato, e o pior é quando a mulher nos lembra disto na frente das visitas.

INSÔNIA James Joyce dizia que o leitor ideal é o leitor com insônia. O que sugere um paradoxo: não adianta ler a noite toda e ficar inteligente se no dia seguinte você parecerá um zonzo por falta de sono.

INSPIRAÇÃO A minha musa inspiradora é o meu prazo de entrega. (*Cf. Processo criativo*)

INSULTOS Você pode ter certeza de que dois brasileiros são íntimos quando põem a mãe no meio. A mãe é o último tabu brasileiro. Depois dos insultos, os brasileiros se abraçam com fúria. Os sonoros tapas nas costas — outra instituição brasileira — chegam ao limite entre a cordialidade e a costela partida.

INTELECTUAIS Simpatizo com os intelectuais, talvez porque já tenham me confundido com um (deve ser os óculos).

INTERIOR Você é uma casa que mal conhece, você tem quartos em que nunca entrou. (*Cf. Autoconhecimento*)

INTERNACIONAL Quando eu cheguei dos Estados Unidos, em 1945, meus heróis eram o Super-Homem e o Capitão América, que tinham ajudado a defender a democracia das forças do Eixo. Meu primeiro super-herói brasileiro foi o

Tesourinha, ponteiro direito do Internacional.

INTERNET Dizem que no futuro as pessoas se conhecerão e se casarão pela internet, mandarão suas células para um laboratório para fazer filhos que nunca verão e jamais precisarão estar juntos — finalmente o casamento perfeito. (*Cf. Laboratórios*)

INTERPRETAÇÃO Não me pergunte o que eu quis dizer. Interpretar minhas próprias frases seria como falar de mim mesmo às minhas costas. Mais do que uma impossibilidade, uma grosseria.

INTRIGA A intriga é a única indústria de Brasília. (*Cf. Brasília*)

INVENÇÕES Qual foi a maior invenção do milênio? Minha opinião mudou com o tempo. Já pensei que foi o sorvete, que foi a corrente elétrica, que foi o antibiótico, que foi o sufrágio universal, mas hoje — mais velho e mais vivido — sei que foi a escada rolante. (*Cf. Navegação*)

INVENTÁRIO Há momentos de grave introspecção em que um homem faz um inventário de si mesmo — seus sonhos, suas desilusões, suas possibilidades e onde, diabo, ele enfiou o chaveiro e o antiácido — e se faz perguntas. Valeu a pena? Devo continuar? Quem sou eu, e por que estou falando sozinho?

INVESTIMENTO Em momentos de crise é recomendado o investimento em passagens aéreas. Se tudo der certo elas se valorizarão, se nada der certo — fuja!

INVISÍVEL
*Uma poesia
não é feita de palavras.
A poesia já existe.
A gente só põe as palavras em
volta para ela aparecer
— como as bandagens do
homem invisível, lembra?*

IOGURTE Há um certo legendário iogurte turco que, segundo a tradição, só pode ser comido cem anos depois da morte da cabra que deu o leite ou quando o armário em que está guardado explodir, o que vier primeiro.

IRONIA A ironia é sempre perigosa, pois só funciona se também for lida com ironia. Quando a pessoa não entende, é mortal. (*Cf. Cinismo*)

ISMOS Deus nos livre de todos os "ismos". Em especial do botulismo.

ITÁLIA A Itália é o único país do mundo em que a mulher tem que se esforçar para ser mais bonita do que a polícia.

ITALIANOS Romano não acredita em fila. Para comprar entradas num cinema, por exemplo, forma-se uma aglomeração na frente do guichê e pouco a pouco, com paciência e discretos empurrões, cada um vai conseguindo a sua vez. É o que se poderia chamar de técnica do bolo solidário. Não há o menor sentido de prioridade ou justiça — chega primeiro ao guichê não quem chegou primeiro ao bolo, mas quem abriu seu caminho com mais decisão — mas também não há briga. Persiste um tácito acordo de que o jeito de avançar na vida é este mesmo, uma mistura de egoísmo persistente e tolerância com o egoísmo dos outros. E ninguém perde o bom humor.

ITAMAR FRANCO O Itamar foi um daqueles cômicos que divertem o público enquanto o elenco principal troca de roupa — e muitas vezes a gente sai dizendo que foi a melhor coisa do espetáculo.

Jj

JAMES DEAN James Dean fez três filmes, transformou-se numa legenda e morreu num acidente de carro, não necessariamente nesta ordem. (*Cf. Marlon Brando*)

JAMES STEWART James Stewart era dos poucos atores que podiam interpretar aquele chavão da literatura descritiva, "uma sombra passou pelo seu rosto". Sombras passavam pelo seu rosto.

JAYNE MANSFIELD Faltam poucos dias para o Natal e talvez menos para o fim da geração que conheceu a Jayne Mansfield e o significado da frase "tchumba la catchumba".

JAZZ Não confio em nenhum músico de jazz que não esteja morto há pelo menos vinte e cinco anos.

JEANS Se seus jeans eram apertados? Dava para ver que ela nunca operara o apêndice.

JEITINHO Nós brasileiros somos, paradoxalmente, a raça do jeito pra tudo e a raça que não tem jeito mesmo. (*Cf. Honestidade*)

JEJUM Os americanos são como são porque não quebram o jejum, simplesmente, ao acordar. Estraçalham o jejum. Todas as conquistas americanas se devem ao fato de a sua civilização ser a primeira na história a conseguir comer panquecas com melado de manhã.

JIU-JÍTSU Num pátio de escola do Oriente há milhares de anos um aluno desarrumou o quimono de outro, o outro, em retaliação, desarrumou o quimono do primeiro e quando viram estavam os dois rolando pelo chão, sem largar os quimonos. Depois acrescentaram a filosofia e chamaram de jiu-jítsu. (*Cf. Boxe*)

JOÃO NINGUÉM Não existe um joão ninguém rico. Talvez um joão roberto ninguém.

JORNAL Às vezes, a única coisa verdadeira num jornal é a data. (*Cf. Erratas*)

JUIZ Os ingleses eram considerados os melhores juízes do mundo, e com um oceano a separá-la de nós, era pouco provável que a Inglaterra também fosse dividida entre gremistas e colorados, declarados ou dissimulados. E foram buscar o Mr. Barrick. Era um homem retaco (tinha, aliás, o formato de uma barrica) com uma boa cara de bebedor de cerveja. E era um ótimo juiz. Acho que ficou em Porto Alegre por um ano, 1949 a 1950, durante o qual a escolha do árbitro para os Grenais deixou de ser assunto: era o Mr. Barrick e pronto. Mr. Barrick estava acima de qualquer suspeita. Nunca se duvidou da sua isenção. Mas uma vez vi Mr. Barrick fazer uma coisa inédita durante uma partida: depois de uma jogada espetacular do Tesourinha, foi até o jogador e apertou a sua mão. Foi a única vez que vi um juiz fazer coisa parecida. O que dá uma ideia do que jogava o Tesourinha.

JUVENTUDE Jovem nunca se apalpa. A gente passa o tempo todo se apalpando, para ver se a gente ainda está todo ali. Jovem não. Os jovens só se apalpam uns aos outros.

Kk

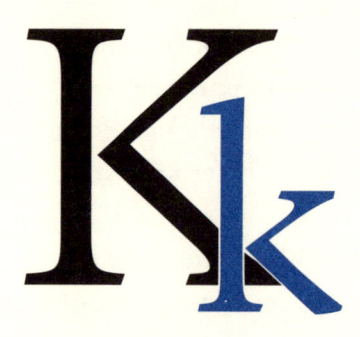

A letra **K** não existe em português, mas ninguém conseguiria dizer "um kantiano kitsch de kilt num kart" sem ela, a não ser que fosse fanho. Embora seja pouco provável que alguém, algum dia, precise usar essa frase.

KAFKA O termo "kafkiano" já perdeu qualquer contato com a literatura que lhe deu origem e é usado por gente que nem sabe quem foi Kafka — o que não deixa de ser meio kafkiano.

KUBRICK Na lista das melhores aberturas de filme de todos os tempos tem que estar a do *Lolita* do Kubrick. Close do pé de uma menina, sustentado no ar pela mão de um homem mais velho sob o tornozelo. Com a outra mão, o homem começa, delicadamente, a pintar as unhas do pé. Aparecem os créditos.

KUROSAWA Dizem que Kurosawa nunca teve no Japão o prestígio que teve no Ocidente. Talvez não tenha sido um dos melhores diretores do Japão, mas foi um dos melhores diretores do mundo. Kurosawa nunca fez o espetáculo só pelo espetáculo e até uma carga de cavalaria num filme seu podia ser uma reflexão humanista. (*Cf. Diretores*)

L

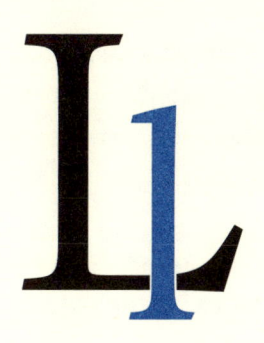

LABIRINTO Um labirinto é o local ideal para você exercer plenamente o seu direito de ir e vir, ir e vir, ir e vir.

LABORATÓRIOS No futuro, as experiências sexuais serão feitas exclusivamente em laboratórios, e isso se você conseguir a chave e tiver muito cuidado para não quebrar nada. (*Cf. Futuro*)

LAMENTO Nunca lamente o caminho não tomado, ele provavelmente levaria à ruína — ou à fortuna, mas ela não lhe faria bem. (*Cf. Arrependimento*)

LANÇA-PERFUME Sempre que estou a ponto de pensar que a humanidade ficou mais bárbara com o passar do tempo, lembro que lança-perfume nos olhos dos outros já foi uma brincadeira de Carnaval e me convenço de que melhoramos.

LAR A Terra nos acolheu sem fazer perguntas, nos deu a água e o oxigênio que precisávamos para viver e ainda entrou com alguns crepúsculos, sem falar em toda a parte decorativa, e no cheiro de capim molhado.

LEBLON A situação no Brasil é séria, mas nada é muito sério no Leblon.

LEGUMES Eu acho que na cama vale tudo, menos legumes. Já perdi a namorada porque disse que o meu limite era o pepino. (*Cf. Mulheres*)

LEIS A Constituição brasileira, como se sabe, sai em fascículos.

LER De certa maneira, livro é melhor do que sexo. Você pode tomar o uísque antes, depois e durante. Livro é sempre com a luz acesa. E livro nunca está com dor de cabeça.

LEVITAÇÃO Sei de céticos que, com certa luz do entardecer batendo nos vitrais da catedral de Chartres, chegaram a levitar alguns centímetros, até racionalizarem a situação e voltarem para o chão. (*Cf. Crente*)

LIBERAL "Liberal" é uma boa palavra desacreditada pelas más companhias. Em inglês, "liberal" já quis dizer "licencioso", "libertino". Shakespeare descreve alguém como um "liberall villaine", um vilão liberal, querendo dizer que é um filho da puta completo.

LIBERDADE Dizer que a minha liberdade termina onde começa a liberdade do outro é muito bonito. Mas e se a liberdade foi mal distribuída e o meu vizinho tem um latifúndio de liberdade enquanto a minha é um quintal de liberdade, liberdade mesmo que tadinha? Não é feio sugerir um reestudo da divisão. (*Cf. Fome*)

LIBERDADE DE IMPRENSA Tem pessoas que se emocionam só de ouvir falar em liberdade de imprensa. O sonho delas é se verem livres da imprensa.

LICOR DE OVOS A ressaca de licor de ovos é um dos poucos casos em que a lei brasileira permite a eutanásia.

LÍDERES Quem quiser saber o que pensavam os brasileiros dos seus líderes desde o primeiro Pedro deve procurar nas anedotas, não na história oficial.

LIMITES Você só sabe exatamente até onde pode ir quando já foi. (*Cf. Legumes*)

LÍNGUA Nada separa as classes como a língua. Fora a renda, claro.

ALEMÃO É a única língua do mundo que tem uma palavra de dezessete sílabas que quer dizer "silêncio".

ITALIANO O truque é falar bastante, não importa que língua, que se acabará falando italiano. Assim como o italiano favorece a prolixidade, acredito que a prolixidade fatalmente leva ao italiano.

FRANCÊS Cada vez que eu falo francês, Racine morre mais um pouco.

LINGUAGEM Tortuosos são os caminhos da língua. Espera um pouquinho, ficou meio pornográfico.

LITERATURA A literatura é esse território livre onde o espírito humano se expande e se impõe. (*Cf. Estilo*)

LITTLE ITALY A festa de San Gennaro, santo padroeiro da colônia italiana, é a mais antiga de Nova York. Lá você encontra os italianos fazendo na calçada o que eles fazem melhor do que ninguém, comida e barulho.

LIVRARIAS As megalivrarias acabaram com o prazer de escarafunchar, já que — a própria palavra está dizendo — escarafunchar pressupõe pilhas poeirentas, estantes inacessíveis e todas as dificuldades que tornam a descoberta do livro procurado uma vitória pessoal, emocionante como uma conquista arqueológica.

LIVROS Certos livros fazem para a mente o que o respirador artificial faz para o pulmão, enchem de ar para ele pensar que está funcionando. (*Cf. Cérebro*)

LÓGICA Todo brasileiro é um técnico de futebol frustrado. Deus é brasileiro. Logo, Deus é um técnico de futebol frustrado?

LOLITA O livro *Lolita*, de Nabokov, tem poucas cenas gráficas de sexo e quem o procura pela bandalheira se decepciona — só tem literatura, pô!

LONDRES Às vezes me pergunto como teria sido se eu não tivesse reprimido o impulso de ir estudar cinema em Londres. Eu hoje poderia ser, sei lá, um dos melhores lavadores de pratos do Soho.

LOUCO Futebol é civilização, mas só até os oitenta e sete minutos. Daí por diante é a hora do Louco. E a única lógica é a da bola espirrada.

LOUVRE Uma vez em Paris, não é uma necessidade ir ao Louvre, mas pode-se fazer o seguinte: entrar pela nova pirâmide, correr até a Mona Lisa, afastando japoneses do caminho a cotoveladas, prestar vinte segundos de homenagem a Leonardo da Vinci e, por seu intermédio, a toda a moçada da Renascença e depois sair correndo do museu, sem esquecer de abanar para a Vênus de Milo, que não poderá responder ao abano.

LUA Nem todos os editores de agenda se dão conta da importância de saber exatamente quando é a próxima lua cheia. Somos uma minoria de obsoletos, reconheço. Românticos e lobisomens. Mas temos nossos direitos.

LUCIA Depois desse tempo todo juntos, Lucia e eu temos sérias esperanças de que o casamento dê certo. (*Cf. Apelidos*)

LUCROS Nos EUA, a fabricação de crises militares de tempos em tempos segue a mesma lógica dos bares que servem amendoim salgado para manter a sede dos clientes num nível lucrativo.

LUGAR-COMUM Guy de Maupassant gostava de almoçar na Torre Eiffel porque dizia que era o único lugar em Paris em que você podia olhar todo o horizonte sem o perigo de ver a Torre Eiffel. Ver a Torre Eiffel é uma fatalidade para quem está em Paris.

LUTO Mulher de luto, sem pintura, só vestindo preto para realçar sua palidez, é a mulher reduzida aos seus componentes básicos. Ossatura, olhos e mistério. As pessoas pensam que as viúvas se vestem de preto e rejeitam os adornos para sinalizar sua renúncia do mundo, mas é o contrário. Estão se reapresentando ao mundo em estado puro, virgens de novo, disponíveis de novo. O preto é o branco das debutantes adaptado às circunstâncias.

LUXEMBURGO Luxemburgo é um país tão pequeno que seu principal problema de fronteira são os repetidos apelos a países vizinhos para que devolvam a bola.

M m

MAÇÃ No meu caso pessoal, a maçã continua induzindo à descoberta e ao pecado. A fruta não me seduz, mas não resisto a nenhum doce feito com maçã, que é a maçã com ainda mais culpa.

MACACOS É ridículo pensar que as mulheres também descendem dos macacos. A sua mãe pode ser, mas a minha não.

MACHISMO Para amarrar cavalo no campo e mulher em casa, só carece de um pau firme.

MADRI Passear por Madri é, um pouco, passear pelos anseios, os terrores e a literatura de toda uma época.

MADUROS Homem é como fruta. Você tem que pegá-los maduros, quando não estão mais verdes e ainda não começaram a apodrecer. Mas é um instante fugidio.

MÃES Mães, como se sabe, formam uma irmandade fechada com ramificações internacionais. Como a máfia. As mães também oferecem proteção e ameaçam os que se rebelam contra elas com punições terríveis que vão da castração simbólica à chantagem sentimental. Pior que a máfia, que só joga as pessoas no rio com um pouco de cimento em volta.

MÁFIA Pressionado pela colônia italiana, Francis Ford Coppola não pôde usar a palavra "máfia" nos seus filmes *O poderoso chefão I e II* — embora ninguém, que eu saiba, tenha pensado que a organização a que os italianos dos filmes pertenciam fosse alguma seção mais movimentada do Rotary.

MÁGICOS O mágico é um vigarista consentido.

MAGROS Há tanto tempo que não sou magro que eu provavelmente não me reconheceria mais.

MAÎTRE O maître já foi garçom, já passou por tudo que um garçom passa, e hoje é um ressentido no poder. (*Cf. Gorjeta*)

MALEDICÊNCIAS Mulher que vai pro Rio de Janeiro já desce na rodoviária falada.

MAMILOS Os mamilos do homem são remanescentes de uma época em que, supostamente, todos os seres humanos eram hermafroditas, ou bissexuais, e os bailes eram bem mais divertidos.

MANAUS O ar paira sobre outras cidades, mas senta em cima de Manaus. (*Cf. Calor*)

MÃOS No amor, as mãos são as nossas forças avançadas, as que exploram o terreno, desativam as minas e amolecem as defesas antes de o corpo entrar em ação. Quando um homem e uma mulher se amam, é porque as suas mãos já se amaram demais. O amor começa quando as mãos estão saciadas.

MAR Me lembro da primeira vez que vi o mar. Fiquei paralisado na frente do mar. Parecia uma coisa viva. Até aquele minuto, a maior coisa viva que eu conhecia era a minha tia Cenira, e o mar era maior do que a tia Cenira.

MAR VERMELHO A Bíblia, como se sabe, tem sido muito criticada ultimamente pela sua imprecisão histórica e lapsos jornalísticos. Ninguém duvida, por exemplo, que as águas do mar Vermelho se abriram, mas a Bíblia não revela como as tribos de Israel passaram pelo fundo do mar sem atolar na lama. (*Cf. Bíblia*)

MARACANAZO Em 1950, o Brasil não podia perder, não tinha como perder, seria uma aberração perder, e perdeu. O trauma, de tão grande e inesperado, ficou como uma espécie de castigo exemplar, valendo para todas as nossas presunções e vaidades, e não apenas as do futebol. Um recado direto dos deuses. (*Cf. Lógica*)

MARADONA Se alguém digitasse os dados físicos do Maradona num computador e perguntasse que função ele devia desempenhar em campo, o computador provavelmente responderia "gandula". (*Cf. Pelé*)

MARIDO O marido é o homem no cativeiro, portanto ainda mais perigoso. (*Cf. Amante*)

MARLON BRANDO A morte prematura de James Dean o salvou do destino de outras jovens legendas, que acabaram fazendo pontas, como Orson Welles de pregador em *Moby Dick*, ou Marlon Brando de baleia num possível remake.

MARTINE CAROL Os seios da Martine Carol foram os primeiros que muitos de nós vimos numa tela, no tempo em que cada terceira palavra de filme americano não era "fucking" e só havia sexo em filme europeu.

MASOQUISTAS Os masoquistas põem a mão no fogo por qualquer um.

MATE Se todo mundo fosse gaúcho, ser gaúcho não era vantagem. E ia faltar mate.

MECÂNICA Entendo tanto de motor quanto o motor me entende.

MEDALHAS Devíamos começar uma campanha para nos igualarmos à Dinamarca. Descobrir como eles fazem para ganhar tão poucas medalhas olímpicas e terem aquela qualidade de vida, e fazer o mesmo. Menos medalhas nas próximas Olimpíadas!

MEDO O meu medo é que exista reencarnação, eu seja reencarnado e encontre reencarnada uma das pessoas com quem eu vivo discutindo que não existe reencarnação.

MEIA-IDADE Completar quarenta anos é entrar naquela terra mítica chamada meia-idade, outrora habitada apenas por pessoas estranhas como os pais da gente.

MEIAS Sempre fui um homem de pernas. Pernas com meias. Meias de náilon. Bom era o barulhinho. Suish-suish. Elas cruzavam as pernas e fazia suish-suish. Eu era doido por um suish-suish.

MEIO-CAMPO O meio-campo é onde as coisas se decidem no futebol porque é ali que se dá a metamorfose: bons meio-campistas são os que entram nessa área mágica enxadristas e emergem, lá na frente, boxeadores.

MEIOS DE COMUNICAÇÃO Nenhum outro meio de comunicação consegue isto: a autoridade para nos contar o que aconteceu com detalhes e distanciamento e a intimidade para compartilhar tudo conosco num contexto doméstico cálido e próximo. O rádio nos diz, a televisão nos mostra, mas só o jornal nos envolve.

MEL Todo homem reproduz, em algum momento de sua vida, a sensação do primeiro pré-humano que enfiou o dedo numa fava de mel e depois lambeu o dedo, e teve um vislumbre das dádivas do mundo — enquanto fugia das abelhas.

MEMÓRIA Até hoje, ninguém que confiou na falta de memória do Brasil se arrependeu. (*Cf. Curiosidade*)

MENORES Menores de dezoito anos não podiam ver um seio nu na tela, sob pena de se acostumarem e saírem a reivindicar seios nus na vida real.

MENTE ABERTA O problema de ter uma mente aberta é que ela não serve para guardar nada.

MENTIRAS "Olha o aviãozinho!" é a primeira grande mentira.

MESA-REDONDA Meu medo é que tenha outra vida após a morte, mas que seja só para debater esta.

METEOROLOGIA A meteorologia, como se sabe, é a ciência que estuda meteoros e, na falta destes, dá uma olhadinha para ver como está o tempo.

MÉXICO O México é a América Latina levada longe demais.

MICHELANGELO Michelangelo e Bernini são como os motociclistas de Roma: estão por toda a cidade e você nunca deixa de se espantar com o que eles fizeram.

MILES DAVIS Chet Baker era um grande improvisador, um dos melhores da história do jazz, mas lhe faltava o que Miles Davis tinha. Pegada, está aí. Musicalmente, não quer dizer nada, mas é a palavra exata.

MILHÕES Não são os milhões que corrompem e arruínam — é o centavo a mais. Aquele um centavo além do razoável, a perdição dos que não sabem onde parar. (*Cf. Limites*)

MILLÔR Durante anos, o Millôr nos fez a suprema deferência de ser nosso contemporâneo. Foi uma das suas muitas gentilezas com os outros. Ele andava (ou corria, ipanememente, de sunga) entre as coisas deste mundo, amando tudo e acreditando em nada.

MINDINHO O mindinho é um símbolo de delicadeza, hipocrisia, alienação — ou simples frescura — quando se mantém levantado, não importa o que os outros dedos estejam fazendo. Se em vez do dedão, tivéssemos desenvolvido um mindinho opositor, a história do mundo teria sido outra. Divertidíiissima! (*Cf. Indicador*)

MINUTINHO No Brasil, um minuto dura sessenta segundos, como em qualquer outro lugar, mas um minutinho pode durar uma hora.

MINUTO DE SILÊNCIO O pênalti e o minuto de silêncio são os momentos mais solenes do futebol. O minuto de silêncio só dura mais.

MISÉRIA Todas as emoções que um filho de rico só tem em videogame o filho de pobre tem ao vivo, olhando pela janela, só precisando cuidar para não levar bala.

MISS UNIVERSO Martha Rocha era um pouco como a seleção de 1950: não podia perder e perdeu, por milímetros.

MISTÉRIO As histórias de mistério são sempre tediosas buscas de um culpado, quando está claro que o culpado é sempre o mesmo. Não é preciso olhar a última página, leitor, o nome está na capa: é o autor.

MISTO-QUENTE O misto-quente é uma lição de vida. Quem precisa mais do que isto, presunto, queijo e duas torradas? O misto-quente é a vida reduzida ao essencial.

MIÚDOS Resisto a qualquer tipo de miúdos. Menos coração, talvez porque tão nobre órgão não mereça o nome de miúdo.

MOCHILEIRO O único turista digno desse nome é o mochileiro, pois é o que renuncia a tudo pelo simples prazer de viajar. (*Cf. Conforto*)

MODOS Um cavalheiro é um troglodita que ainda não chegou no último camarão do bufê. (*Cf. Apetite*)

MOEDA Um país que perdeu seus centavos perdeu sua vergonha.

MONA LISA Deixe-me saborear este momento. Você, nesta porta, emoldurada como um quadro, como a Gioconda de Da Vinci, com a vantagem de ter a parte de baixo.

MONARQUIA Monarquia. Do grego *mono archia* ou governo de um macaco só. As monarquias podem ser absolutas ou constitucionais. A diferença é que no primeiro caso o monarca se diverte muito mais.

MONOTONIA O chato é a gente olhar em volta e só ver nossos contemporâneos.

MONTANHAS No dia em que os pobres da América Latina tomassem o poder e os ricos tivessem que fazer guerrilha, surgiria uma dúvida em seguida: praia ou serra?

MORALISMO "Moral" e "bons costumes" são abstrações imensuráveis e inconstantes. Em política, por exemplo, o que ontem era execrável hoje é rotina.

MORTALIDADE Ninguém pensa seriamente na morte antes dos trinta e poucos anos. A inevitabilidade da morte nos bate de repente, sem aviso, sentados na privada ou no meio de um picolé. Você um minuto está bem, eternão, e no momento seguinte é um mortal irreversível.

MORTE Minha relação com a morte é esquecer que ela existe. E espero que ela faça o mesmo comigo.

MOSCA Sou incapaz de matar uma mosca — geralmente só destruo a sala com golpes de jornal enrolado.

MOVIMENTO O Moacyr Scliar lançou certa vez o Movimento dos Sem-Neto e eu me afiliei. A ala mais radical do movimento chegou a pensar em ações extremas, como invadir berçários e roubar nenéns.

MUDANÇAS As nossas elites não mudaram muito desde dom João VI. Vamos lhes dar mais um pouco de tempo. (*Cf. Impunidade*)

MUHAMMAD ALI Muhammad Ali ficará na história dos Estados Unidos, e não apenas na sua história esportiva. Foi protagonista ativo de algumas revoluções, como a que deu uma nova perspectiva ao negro americano e a que acabou com a intervenção no Vietnã. Foi sempre uma mistura fascinante de palhaço e super-homem.

MULHERES O maior mistério da vida do Homem não é o que há depois da morte ou quais são os limites do Universo, mas: o que a Mulher está pensando?

MUSA Virou musa. Escultores queriam ver o seu busto em praça pública, mas ela dizia "Não, pode vir alguém...".

MÚSICA Se a música é um caminho, com começo, meio e fim, o jazz é um atalho secreto.

MÚSICA POPULAR BRASILEIRA Todo mundo lembra o Nelson Cavaquinho e o Nelson Sargento, mas ninguém lembra o Nélson Porém, um dos caras mais importantes da história da música popular brasileira. Nélson Porém estava na mesa ao lado quando o Paulinho da

Viola compôs o samba sobre a Portela que tem aquela parte que começa "Porém...". Depois do "porém" tinha um vazio que o Paulinho não sabia como encher. Paulinho tinha empacado no "porém". Foi aí que da mesa ao lado, quando o Paulinho cantou "Porém...", o Nélson, mais pra lá do que pra cá, lascou "Ai, porém!" e foi aquele sucesso.

MUXOXO Muxoxo é uma daquelas coisas que só acontecem em livros. Eu até hoje nunca vi um muxoxo na chamada vida real. Mas, como não sei exatamente o que é um muxoxo, talvez tenha visto e não tenha reconhecido.

Nn

NADO BORBOLETA Alguém pode me explicar o nado borboleta? Para que serve? Num naufrágio, por exemplo, você vai sair nadando borboleta?

NAMORAR Na minha juventude (ali pela Renascença) namorar era como uma lenta conquista de territórios hostis. Avançamos no desconhecido como desbravadores do Novo Mundo. Centímetro a centímetro, mentira a mentira.

NAPOLITANA A cozinha típica do sul da Itália, de Roma para baixo, é uma cozinha nascida da carência e o maior exemplo disso é a pizza napolitana, em matéria de engana-fome uma campeã imbatível da vigarice gastronômica. E tão genial que conquistou o mundo.

NARCISISMO Quando precisava mandar buscar alguma coisa no armazém, Pablo Picasso rabiscava uma pomba ou uma odalisca num papel e dava para a empregada pagar a conta. Certa vez, a empregada saiu para fazer o rancho levando um bico de pena razoavelmente bem acabado — a conta seria grande — e voltou com as compras e mais um horrível desenho feito em papel de embrulho e assinado embaixo pelo dono do armazém, Monsieur Pinot. "O que é isso?", quis saber Picasso, segurando o papel com a ponta dos dedos. "É o troco", explicou a empregada. Desse dia em diante, dizem, Picasso olhava com respeito, cada vez que passava pelo armazém de Monsieur Pinot. Tinha encontrado um ego maior que o seu.

NARIZ O nariz talvez seja o órgão mais importante do corpo. O dos animais serve para guiá-los para a comida e alertá-los para o perigo, o do homem serve para evitar que os óculos escorreguem até o queixo. (*Cf. Chaminé*)

HASSLER · ROMA

Piazza Trinità de' Monti, 6 - 00187 ROMA
Tel. +39 06.699340 - Fax +39 06.6789991 - info@hotelhassler.it

É A CASA QUE EU QUERIA TER DESDE CRIANÇA

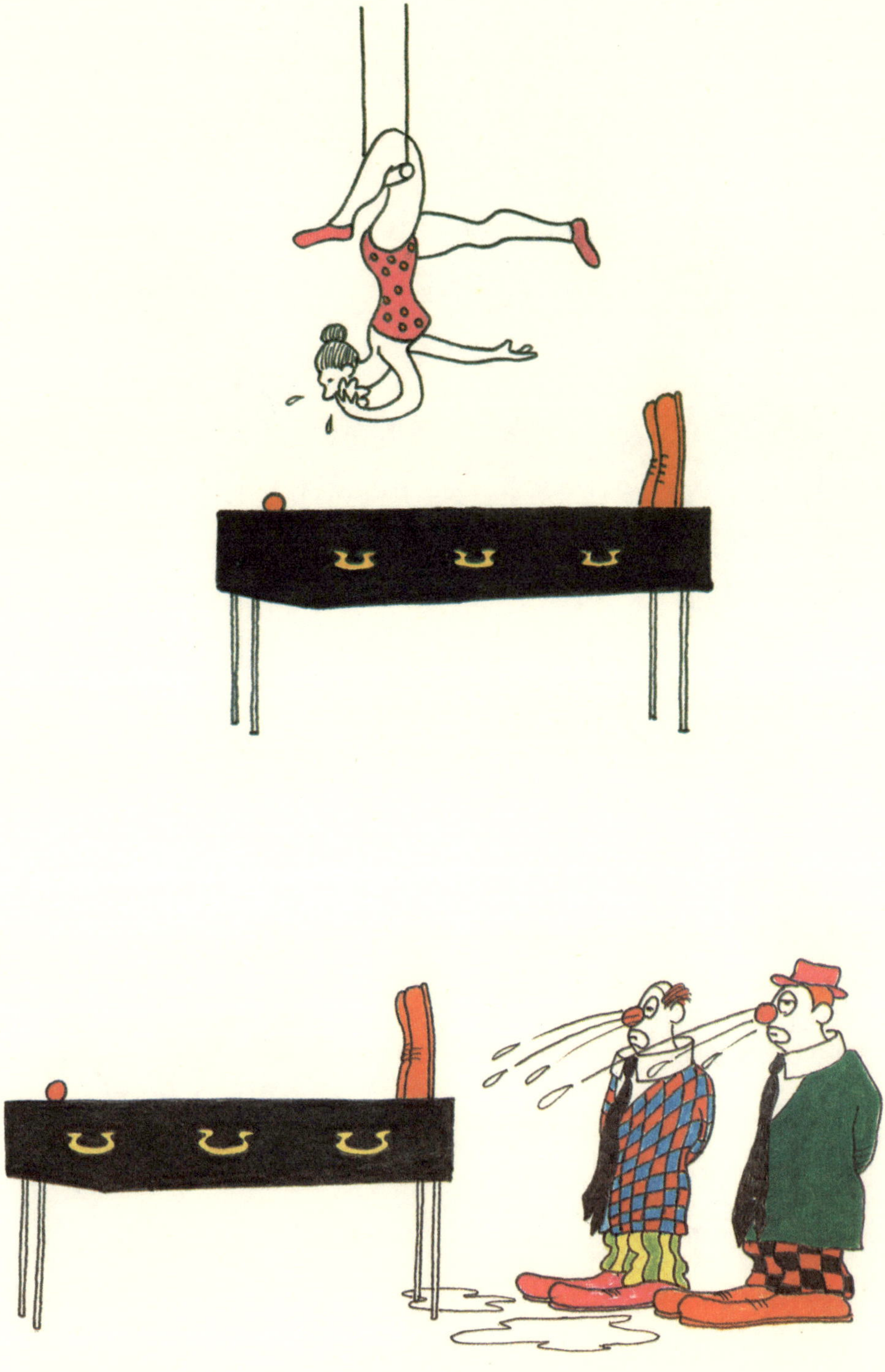

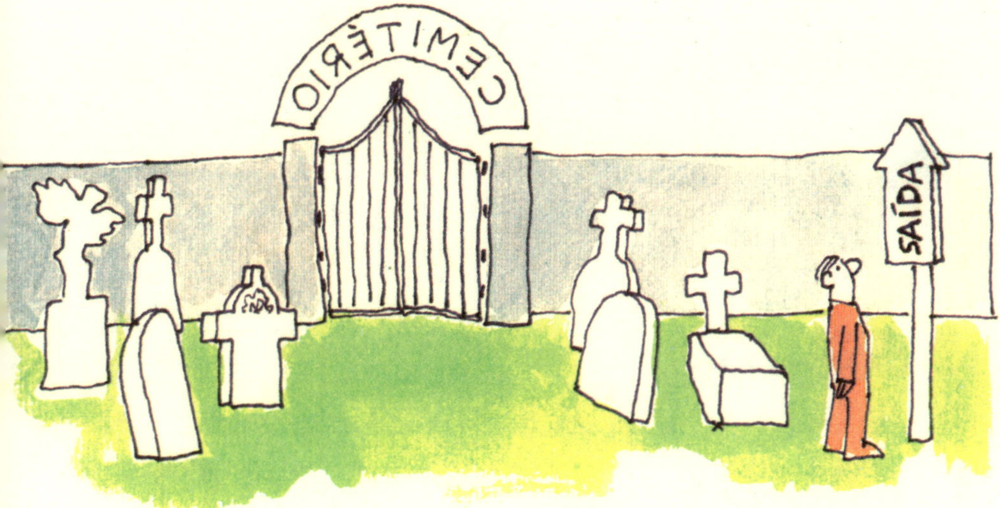
CEMITÈRIO
SAÍDA

DR. DEONÍSIO

HOJE (SENTADO), HÁ 30 ANOS (DE PÉ) E RECÉM-NASCIDO

DA ESQUERDA PARA A DIREITA: O DR. IVO, SEU ID E SEU SUPER-EGO

O SR S. COM SEUS DEMÔNIOS

O HOMEM INVISÍVEL (*)

* DE PERUCA

ALGO ME DIZ

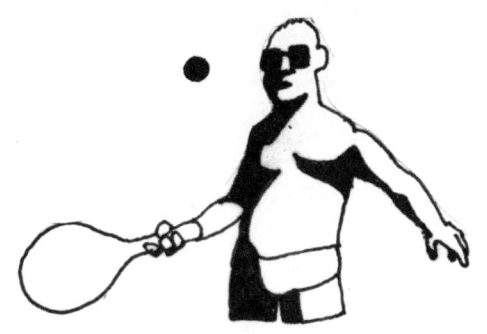

QUE ESTE É
O ÚLTIMO
VERÃO

DE ALGUMA COISA

— QUERIDA, PENSE EM COMO ISTO REPERCUTIRÁ NO SEU GRUPO DE ANÁLISE!

— VOCÊ NÃO PASSA DE UM PEQUENO BURGUÊS!

BEIJA-ME E ME TRANSFORMAREI NUM PRÍNCIPE
BEIJO
MAS QUE PRÍNCIPE FEIO!
PLOP
PRA QUEM JÁ BEIJOU SAPO...

COMO VOCÊ É INFANTIL!

MAOMÉ, É COM VOCÊ

NARRAÇÃO No meu primeiro Grenal, em 1946, senti falta da narração pelo rádio, que dava um toque épico ao futebol. Tudo era maravilhoso, o público, o cheiro de grama, os ídolos que eu conhecia só de jornal ali, em cores vivas... Mas faltava alguma coisa. Faltava uma voz me dizendo que o que eu estava vendo era mais do que estava vendo. Faltava a narrativa heroica.

NASCIMENTO Nascer foi a melhor coisa que podia ter me acontecido. Penso que não seria o que sou hoje se não tivesse nascido.

NATAL A verdadeira lição do Natal, da história inspiradora da fuga do Egito, da falta de lugar para Maria e José na estalagem e do nascimento do menino Jesus numa manjedoura, cercado de animais, é a seguinte: não saia de casa sem reservar hotel.

NATUREZA Dizem que a lei existe para contrariar a natureza. Se o Homem sempre seguisse seus instintos naturais e matasse, roubasse e passasse a mão na bunda do próximo sem qualquer punição, onde estaríamos? No Brasil, acertou. (*Cf. Honra*)

NAVEGAÇÃO Minha experiência no mar se resume a algumas passagens em transatlânticos, onde a única linguagem técnica que você precisa saber é "a que horas servem o bufê?". Nunca pisei num veleiro e se pisasse seria para dar vexame na primeira onda. Eu enjoo em escada rolante. (*Cf. Corrimão*)

NEGAÇÃO Eu era uma negação com mulheres. Ou melhor, as mulheres eram uma negação comigo. Só me diziam não.

NEOLIBERALISMO Neoliberalismo é o capitalismo selvagem com porte de arma e habeas-corpus preventivo. (*Cf. Culpas*)

NETOS As três melhores coisas do mundo são pudim de laranja, gol do Internacional e netos, não necessariamente nessa ordem.

NIRVANA Pior que uma mente insana num corpo sem muito

assunto é um corpo que já foi ao Nirvana sem que a mente tenha ido junto.

NOBREZA A maior conquista do nosso Carnaval é a preservação da ideia da nobreza popular, apesar de tudo.

NOIVADO O homem pedia a mulher em namoro, depois pedia em noivado, depois pedia em casamento, e, quando finalmente podia dormir com ela, era como chegar no guichê certo depois de preencher todas as formalidades, reconhecer todas as firmas e esperar que chamassem a sua senha.

NORMAN MAILER Norman Mailer pertence àquela linhagem especial de escritores americanos cuja primeira preocupação intelectual é não passar por bicha.

NORUEGA Arrisco que nenhum outro lugar — salvo o Brasil, sou louco? — tem mais mulheres bonitas por quilômetro quadrado do que a Noruega. As camareiras de hotel são manequins. Só imagina as manequins.

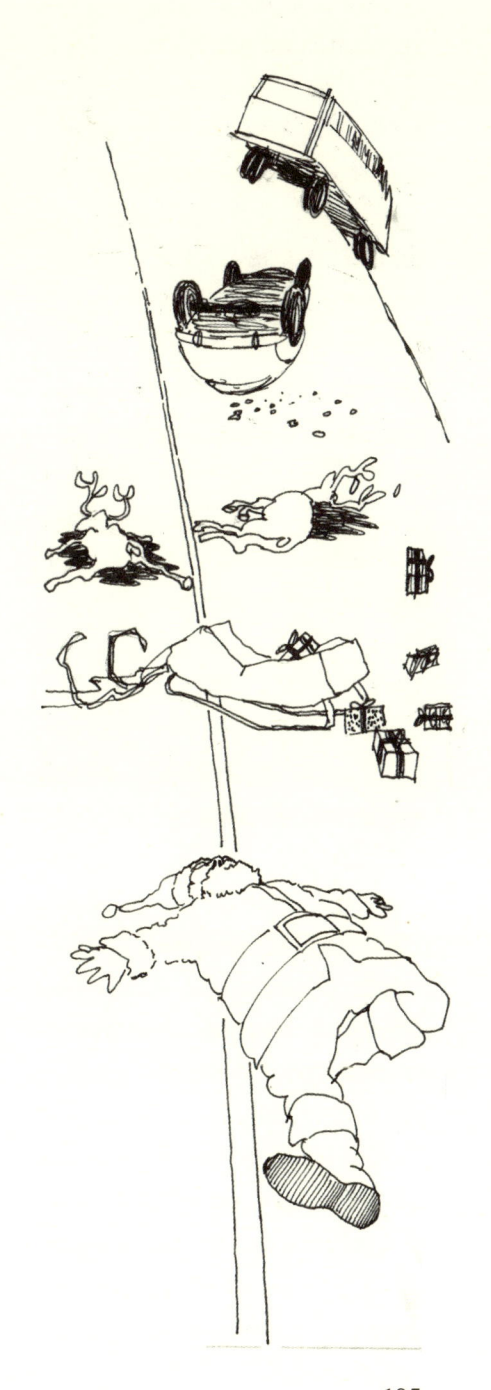

NOSTALGIA A época de ouro de qualquer coisa é sempre a que veio antes da nossa.

NOTÍCIAS Um dia é da notícia, o outro é do desmentido.

NOTORIEDADE Ser um tímido notório é uma contradição. O tímido tem horror a ser notado, quanto mais a ser notório. (*Cf. Autoconhecimento*)

NOVA ORLEANS Nova Orleans é a única cidade remotamente europeia dos Estados Unidos.

NOVA YORK Nova York é a capital mundial da cultura sem ter uma cultura própria, fora os grafites no subway.

NOVELA Quantas vezes, atirado na frente de um aparelho de TV vendo a novela das oito — uma história invariavelmente de humilhação, renúncia e superação femininas —, você não se perguntou o que estava fazendo que não dava um salto, vencia a resistência da família a pontapés e procurava uma reprise do *Mannix* em outro canal?

NUDISMO Muitos casais estão sendo levados ao nudismo por amigos que os convencem das vantagens e prazeres de uma vida natural, embora às vezes só estejam interessados em saber se a comadre é mesmo uma ruiva natural.

Oo

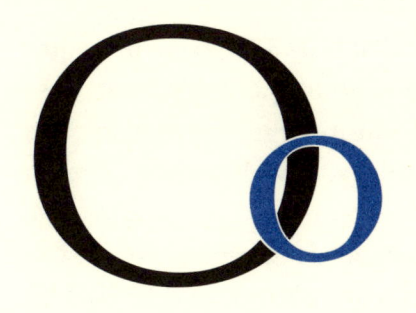

OBA "Oba": Palavra de origem nativa. Ouvida pela primeira vez quando os tupinambás viram seu primeiro europeu, que em seguida comeram. Desde então, ficou como manifestação prazerosa da expectativa de comer alguém ou alguma coisa, mesmo hipoteticamente. "Epa" é o oposto de "oba". É usada por quem ouve um "oba" e se apressa a esclarecer que não pode ser com ele.

OBAMA Até a visita do Obama, a relação mais próxima de um presidente americano com Cuba tinha sido o que, alegadamente, Clinton fazia com a estagiária e charutos Montecristo.

OBJETIVIDADE A definição do que seja objetividade é sempre muito subjetiva.

OBRA-PRIMA Nunca me orgulhei tanto do que fiz como quando construí um projetor com uma caixa de charutos e projetei na parede um filme desenhado por mim em papel de seda. O filme queimou em dois segundos, mas foram meus melhores dois segundos até agora.

OBRIGAÇÃO Sempre que um leitor não entende o que um jornalista profissional escreve a culpa é de quem escreve. Tenho, no mínimo, a obrigação de ser claro. Você não pode pedir que o leitor subentenda nada. É como pedir que ele faça o seu trabalho por você.

OBSESSÕES Você sabe que um diretor de cinema está se repetindo, e se imitando, quando suas "obsessões" ou seus "toques característicos" começam a ser chamados de chavões.

OBSOLESCÊNCIA Você eu não sei, mas eu já estou me sentindo como o disco de vinil.

ODISSEIA Toda a *Odisseia* de Homero não passa da história de alguém não querendo outra coisa a não ser voltar para os braços da patroa.

OFENSA Mãe, pra mim, só há uma: a sua. (*Cf. Mães*)

OFF O "em off" do jargão jornalístico vem de off-the-record, "não para registro", e é o que o entrevistado diz para o entrevistador antes de dizer "mas se você publicar eu nego". (*Cf. Quieto*)

OFÍCIO Escrever é uma atividade que comecei meio tarde e meio por acaso e que tem garantido o uísque das crianças. (*Cf. Escrever*)

OLHOS A ausência de olhos nas têmporas está na origem de toda a nossa literatura de terror. Se o homem tivesse olho na nuca, cinquenta por cento da sua angústia existencial desapareceria e Stephen King hoje seria um homem pobre.

OLIGARQUIA Desde Pedro I temos esta absurda esperança de que nossa oligarquia nos salve dela mesma. (*Cf. Imperadores*)

OLIMPÍADAS Por que não equipes de cuspe à distância desfilando orgulhosamente nas delegações olímpicas? É uma forma de competição que exige habilidade incomum e noções de física e balística, além de facilitar o exame antidoping imediato.

OMELETE O crítico José Onofre disse uma vez que a frase "não se faz uma omelete sem quebrar ovos" é muito repetida por gente que não gosta de omelete, gosta do barulhinho dos ovos sendo quebrados. Extrema esquerda e extrema direita se parecem não porque amam seus ideais, mas porque amam os extremos, têm o gosto comum pelo crec-crec.

ONANISMO Onanismo é uma perversão sexual que consiste em somente ter relações com um fanho.

ONIPOTÊNCIA Deus não existe porque não quer.

ONTOLOGIA Somos o que somos ou o que dizemos que somos? Ou, em termos ontológicos, o Homem é o que é o ano todo ou é o que é no Carnaval da Bahia?

OPINIÃO Como colunista de jornal, sou pago para ter opinião.

ORÇAMENTO Viajar sempre vale a pena, mesmo quando a alma não é pequena, mas o orçamento é.

ORDEM Não gosto de falar mal da desorganização porque é em nome da ordem que se cometem as maiores barbaridades do mundo.

ORGANIZAÇÃO No fim, sexo e futebol só são diferentes em duas coisas. No futebol não pode usar as mãos. E o sexo, graças a Deus, não é organizado pela CBF.

ÓRGÃO SEXUAL Você é o seu sexo. Todo o seu corpo é um órgão sexual, com exceção talvez das clavículas.

ORGASMO Como dizia aquele samba do Nelson Sargento numa adaptação livre: Nosso amor é tão bonito. Ela finge que me ama e que todos os seus orgasmos são múltiplos, espasmódicos, gloriosos, com fogos de artifício, revoada de pombos e a orquestra dos Fuzileiros Navais em uniforme de gala. E eu finjo que acredito. (*Cf. Clímax*)

ORGASMO FEMININO Uma moça angolana percorreu seu corpo inteiro com a ponta do dedo e declarou que todos os pontos de seu corpo lhe davam um imenso prazer. Descobriu-se mais tarde que a ponta de seu dedo é que era erógena. (*Cf. Ponto G*)

ORGIA O Brasil de certa forma sempre foi uma orgia, uma simpática convivência de apetites mais ou menos desenfreados, mais ou menos safados.

ORIENTAÇÕES Um labirinto é útil para você saber o que é mudar de orientação, voltar atrás, rever posições, escolher novos caminhos, repetir os mesmos erros e perder a compostura sem precisar entrar na política.

ORIGINALIDADE Eu garanto, só lido com opiniões de fabricação própria.

OTIMISTA Otimista é quem acha que tem que haver uma luz no fim deste túnel. Pessimista é o que não tem muita certeza de que isto é um túnel.

OURO Numa hipotética modalidade de corrupção sem barreiras, o Brasil levaria o ouro, a prata e o bronze — para a Suíça.

OUTONO Minha terra preferida é o outono em qualquer lugar.

OUTRO O problema do outro é que o outro é sempre um pacote. Não se pode ter do outro só o que nos apraz e esquecer o kit completo.

OUTROSSIM Antonio Maria escreveu que, sempre que alguém usa "outrossim", a frase é decorada. Eu mesmo tenho uma frase com "outrossim" pronta para usar há uns vinte anos, mas ainda não apareceu a oportunidade.

OUVIR Quem por ofício dá sua opinião precisa aprender a ouvir a opinião dos outros.

OXIGÊNIO Sempre achei esse papo de ar livre e oxigênio muito supervalorizado. Se oxigênio fosse bom, a humanidade não estava do jeito que está.

P p

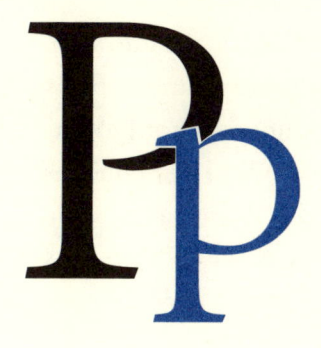

PACIÊNCIA No Brasil, as classes inferiores cumprem seu papel e dão às elites repetidos exemplos de bom senso, honestidade e, principalmente, contenção e paciência. Quando a paciência acaba — como na questão das invasões de terra —, não falta quem se sinta ultrajado, como se os pobres estivessem, irresponsavelmente, esquecendo as regras da etiqueta. (*Cf. Elites*)

PACTOS Um partido faz pactos políticos por uma razão mais alta. A de chegar ao poder e esquecer os pactos que fez, por exemplo. (*Cf. Cinismo*)

PAELLA Preparar uma paella pela primeira vez e acertar em cheio é um feito mais ou menos equivalente a você e eu aterrissarmos um 727 com perfeição seguindo as instruções da torre.

PAIS Você sabe que acabou a adolescência dos filhos quando os seus vexames, em vez de envergonhá-los, começam a enternecê-los. Você passou de herói a embaraço e está terminando como figura.

PAISAGEM As pessoas falam de Israel, que fundou uma civilização no deserto, mas o milagre do Rio de Janeiro é ainda maior: fundou uma civilização na paisagem. (*Cf. Rio de Janeiro*)

PALADINOS Desconfie dos paladinos, eles também querem sangue.

PALAVRA A palavra não curra nem cura.

PALAVRÃO Antigamente, quando se ouvia um palavrão nos estádios, sempre havia alguém que olhava em volta e advertia: "Olha as famílias". Hoje as famílias gritam palavrões em uníssono.

PALETÓ Seu paletó parecia o "antes" num comercial de detergente. O muito antes.

PALPITES Devemos ter pelo menos a coragem dos nossos palpites infelizes.

PANCADA No ano de 1959, num café parisiense, comecei a conversar com uma moça húngara. Criou-se um clima, e nós acabamos indo para um quarto. Só que a moça era masoquista e queria que eu batesse nela. Não consegui bater na mulher. Foi um caso que durou pouco por falta de violência de minha parte.

PAPEL HIGIÊNICO Quanto mais próspero o país, mais resistente o dinheiro e mais mole o papel higiênico.

PARÁBOLAS É o problema com as parábolas, elas dão lições valiosas, mas de uma forma que ninguém entende.

PARANOIA Vocês só me chamam de paranoico porque estão todos contra mim.

PARIS Por ser a cidade mais cosmopolita do mundo, Paris acabou sendo uma confederação de deslocados, de pequenas comunidades desterradas, cada uma com suas saudades e suas queixas em mau francês.

PARLAMENTARISMO No parlamentarismo, discute-se muito para não se chegar a lugar algum. No presidencialismo, elimina-se uma etapa.

PARREIRA Não adiantou o Parreira vencer a Copa dos Estados Unidos. Continuou sendo culpado, não importa de quê.

PARTIDOS Houve um tempo em que três letras definiam um homem. Alguém dizia "Eu sou PTB" e você sabia com quem estava falando. "Eu sou UDN." Você sabia com quem estava falando. E saía de perto. Hoje trocam de partido, fazem alianças estranhas... Conseguiram que as letras não signifiquem mais nada. Uns FDP.

PARTILHA Advogo a solidariedade humana em todas as

situações, menos na partilha do sorvete Berthillon.

PASSADO No Brasil, as calhordices do passado se perdem na poeira. O passado vai junto com o lixo, para o esquecimento ou a reciclagem. (*Cf. Agora*)

PÁSSAROS *Os pássaros* é o filme metafísico de Hitchcock. O primeiro filme de terror da história do cinema sem vilões. O vilão é o mundo, é a natureza reagindo ao homem.

PASSATEMPO A vida é a melhor coisa que eu conheço para passar o tempo.

PASTEL Um dos dezessete prazeres universais do Homem é pastel de beira de estrada. Existe mesmo uma tese segundo a qual, quanto pior a aparência do restaurante rodoviário, melhor o pastel.

PATIFARIAS Se todas as pessoas agissem com um olho na sua autobiografia, na explicação que a gente dá para a posteridade, evitariam as pequenas patifarias que hoje parecem tão necessárias.

PATRICIA PILLAR Fizemos muita bobagem, é verdade — guerras, filhos demais, sacanagem com os outros, carros com rabo de peixe, Brasília —, mas também fizemos coisas admiráveis, como a catedral de Chartres e a Patricia Pillar.

PATRIOTISMO O patriotismo exacerbado é sempre predatório. Pede vítimas e conquistas tangíveis como o fogo pede lenha.

PATROCÍNIO A revolução socialista só vai dar certo com um bom patrocinador.

PAULISTAS Nove entre dez cariocas na praia em hora de expediente são paulistas. (*Cf. Carioca*)

PAZES A gente brigava mesmo era para se reconciliar depois, lembra? Oito entre dez namorados transam pela primeira vez fazendo as pazes. O IBGE tem as estatísticas.

PC FARIAS Como disse o PC Farias: "Compra-se a lei!".

PECADO O pecado que um escriba mais teme é o da redundância.

PEDESTAL Tem homem que bota a mulher num pedestal para poder olhar por baixo do seu vestido.

PEIXES Me convenci de que as pessoas são reencarnadas como peixes, e os peixes são reencarnados como pessoas, o que explica a cara de tanta gente por aí.

PELADA Pelada é o futebol de campinho, de terreno baldio. Mas existe um tipo de futebol ainda mais rudimentar do que a pelada. É o futebol de rua. Perto do futebol de rua, qualquer pelada é luxo e qualquer terreno baldio é o Maracanã em jogo noturno. Futebol de rua é tão humilde que chama pelada de senhora.

PELE As mulheres com as melhores peles são as inglesas. Elas devem se beneficiar da mesma dosagem de chuva, sol e bons cuidados que fazem dos gramados ingleses os mais bonitos do mundo.

PELÉ Pelé era bom até amarrando a chuteira.

PENA DE MORTE Segundo os apologistas da pena de morte, matar alguém é um ato tão terrível, tão revoltante, tão imperdoável que se deve matar quem o pratica. A pena capital é, no final das contas, um ato de selvageria institucionalizada.

PÊNALTI Na hora de bater um pênalti, toda a vida de um jogador passa diante dos seus olhos. Menos, claro, a parte em que ele treinou cobrança de pênalti.

PENSADORES No fim, dos três pensadores revolucionários do século XIX — Marx, Freud e Darwin — , só Darwin continua com seu prestígio em alta e sua teoria intacta. Só Darwin derrotou a oposição.

PENSAR Escrever é ter tempo para pensar no que vai dizer. (*Cf. Clareza*)

PERDÃO O brasileiro perdoa tudo, desde que seja bem bolado.

PERMANÊNCIA Nós vivemos talvez a última época do mundo em que as coisas permaneciam. Hoje estamos na era da obsolescência de dois dias.

PERMISSÃO Por aqui, o limite do que pode e do que não pode é a capacidade de levar o guarda na conversa. (*Cf. Crachá*)

PERSONALIDADE Segundo a ciência, a personalidade humana fica pronta aos cinco anos de idade. O patife já está feito, mesmo que ainda não tenha a oportunidade de dirigir um banco.

PERUA A madame ia todos os anos a Paris renovar o seu guarda-roupa, apesar da dificuldade em transportar o grande e pesado móvel no avião.

PÉS Quando um velho olha para uma criança num berço não inveja a sua inocência, pois a experiência é melhor, nem as suas regalias, que ele também tem. Inveja a sua capacidade de morder o dedão do próprio pé. Muitas vezes, só o que distingue o bebê do velho é isso, mas isso é tudo.

PESSIMISMO Estou tão pessimista que quando me perguntam "nos vemos amanhã?" respondo que não planejo nada com tanta antecedência.

PIADA Dizem que era a piada favorita do dr. Freud. Recém-casados na cama. Apaixonadíssimos. Um fala para o outro: "Se um de nós morrer antes do outro, eu prometo que não me caso de novo".

PICASSO Um artista podia ser um canalha em particular se sua obra o redimisse. Uma única gravura do Picasso absolve uma vida de mau-caráter.

PIZZA A pizza é uma contravenção culinária — um crime menor, mas um crime. Não tenho posições muito firmes sobre o parlamentarismo ou o futebol sem pontas, mas sobre a pizza, tenho. Sou contra.

PLANETA Já somos sete bilhões, não contando o milhão e pouco que nasceu desde o começo desta frase. Se fosse um planeta bem administrado, isto não assustaria tanto. Mas é, além de tudo, um lugar mal frequentado. Temos a fertilidade de coelhos e o caráter de chacais, que, como se sabe, são animais sem qualquer espírito de solidariedade.

PLÁSTICA A cirurgia plástica é uma forma de escultura com anestesia.

PMDB O partido que transformou "heterogeneidade" em palavrão.

POESIA A poesia se faz antes ou depois de uma paixão, ninguém jamais fez um bom poema durante um amor feliz. Pois se o amor está tão bom, para que interrompê-lo?

POETA Poeta é aquele cara que vem atrás pegando o que usamos todos os dias e jogamos fora, e quando você se vira vê uma catedral de tampinhas de garrafa.

POIS É "Pois é": uma maneira tipicamente brasileira de não ficar quieto e ao mesmo tempo não dizer nada.

POLEGAR O desenvolvimento do dedo opositor possibilitou ao macaco o seu primeiro gesto civilizado, que foi segurar firmemente um porrete para bater no outro.

POLITICAMENTE CORRETO Quando eu era garoto nós tínhamos uma empregada negra que usava um nome apropriado para nós, de carne branca: peixe. Lembro da Araci me tirando da cama para ir à escola com a frase "Levanta, peixe!". E completando: "A coisa que eu tenho mais nojo é ver peixe na cama". Se fosse hoje eu poderia protestar: "Peixe, não. Aquadescendente". A Araci provavelmente viraria a cama.

POLÍTICOS Elegemos políticos para nos representar e depois duvidamos que eles o façam, porque sabe como é político.

POLO Átila, o Huno, foi o inventor do aristocrático esporte do polo a cavalo; mais tarde substituíram as pessoas por uma bola.

POLO AQUÁTICO O polo aquático começou em Portugal há muitos anos, mas só recentemente decidiram eliminar os cavalos, que sujavam muito as piscinas.

POLTRONA Você sabe que está ficando velho quando só consegue sair da poltrona na terceira tentativa e aí esquece por que se levantou.

PONTO FINAL O Jorge Luis Borges dizia que o escritor publica seus livros para livrar-se deles, para não ficar reescrevendo-os ao infinito. Mas Borges, que nunca fez um texto muito longo, foi um grande exemplo de quem sempre soube onde parar.

PONTO G O número normal de zonas erógenas num corpo humano é de 177 — desde que, claro, se contem o cotovelo e o vão atrás do joelho duas vezes e o rego entre os dedos do pé oito vezes. (*Cf. Orgasmo*)

PÔQUER Ninguém conhece a alma humana melhor do que um jogador de pôquer. A sua e a do próximo.

PORTA ABERTA A porta aberta do carro determina uma espécie de trégua tácita. Todos a apontam. Vão atrás, buzinando freneticamente, se por acaso você não ouviu o primeiro aviso. "Olha a porta aberta!" É como um código de honra, um intervalo nas hostilidades. Se a porta se abrir e você cair mesmo na rua, aí passam por cima. Mas avisaram.

PORTAS A porta é a primeira coisa que as pessoas veem. Como o prefácio de um livro, ela deve preparar as pessoas para o que vão encontrar, dentro da casa, mas sem dizer tudo. Deve sugerir, despertar o interesse sem estragar a surpresa.

PORTEIROS Porteiros de cinema foram os últimos exemplos de austeridade moral na nossa história. Com menos de dezoito anos não entrava, e pronto. A vida era proibida até dezoito anos.

PORTO ALEGRE Cidade à beira de um rio chamado Guaíba, que na linguagem dos índios queria dizer "Mas que rio?".

PÓS-MODERNIDADE Somos pós-hegelianos, pós-marxistas, pós-keynesianos, pós-freudianos, pós-modernos e pré-falimentares.

POSTERIDADE Hoje em dia são poucos os relatos sobre pessoas famosas que não trazem alguma revelação. A posteridade não é mais um lugar seguro.

POTÊNCIA Os Estados Unidos conseguiram se tornar uma potência inédita na História do mundo: são como Roma e os bárbaros ao mesmo tempo.

PRAIA Praia é uma república em que todos são iguais perante o Sol. Nenhuma democracia social é tão adiantada quanto a praia, onde as raças não apenas convivem como fazem tudo para se tornarem iguais.

PRATICAMENTE "Praticamente" é aquela palavra que não diz nada e serve para tudo.

PRAZER Gosto muito de uma frase do Zuenir Ventura, que diz que ele não gosta de escrever, gosta de ter escrito. O ato de escrever não me dá muito prazer, não. Bom é ter escrito.

PRECISÃO Os últimos bombardeios americanos feitos com a tal "precisão cirúrgica" foram tão mortais que já deviam ter provocado um protesto internacional dos cirurgiões.

PREDADORES Nenhum outro animal é onívoro como o homem. Estamos no topo da cadeia alimentar entre os bichos de sangue quente e somos da categoria dos predadores, definida pela posição e função dos olhos. Somos caçadores, e bons caçadores, e comemos de tudo, da baleia ao escargot.

PREFÁCIO Prefácio é como bula, as pessoas geralmente só leem quando é tarde demais.

PREFERÊNCIAS Gosto é o que mais se discute.

PREGUIÇA A preguiça é a mãe

de todos os males que não requerem muito esforço.

PRESENÇA Todos os tempos são estranhos, os nossos são mais porque acontecem com a nossa presença.

PRESIDENTES Presidentes são reis com prazo de validade.

PRESSA O Homem, como se sabe, é um produto da evolução, e a evolução andou cometendo alguns erros. Não pode alegar pressa. Teve todo o tempo que quis para nos fazer assim.

PRETENSÃO Toco música sem nenhuma pretensão, nem a de tocar bem.

PREVIDÊNCIA Aceitaria reencarnar, claro. Principalmente se as encarnações anteriores contassem tempo para o INPS. (*Cf. Inflação*)

PREVISÕES Somos todos leigos em futuro. Seja em premonições do apocalipse ou apenas em previsões econômicas, somos todos igualmente imprecisos, ou igualmente poetas. Tanto os pessimistas quanto os otimistas se baseiam em vagos sentimentos, já que ninguém tem a mínima ideia do que vem aí.

PRIMAS Não me lembro de nada que tenha me dado tanto e tão constante prazer desde a infância quanto o cinema — incluindo aí mamadeiras, primas e gibis.

PRIMEIRA VEZ Tive aos treze anos a minha primeira experiência sexual digna desse nome — com começo, meio, fim e, acima de tudo, parceira. (*Cf. Meias*)

PRÍNCIPE Ser príncipe é o segundo melhor emprego do mundo, depois do massagista particular da Raquel Welch.

PRIVADO O homem é o único animal que faz o que gosta escondido e o que não gosta em público.

PRIVILÉGIOS Confundir ordem e normalidade com seus próprios privilégios é um velho hábito de qualquer casta dominante.

PROBLEMA Muitos escritores novos dizem que seu maior problema é saber por onde começar. Não é. O maior problema de quem escreve (ou compõe, ou interpreta, ou, principalmente, discursa) é saber onde parar.

PROCESSO CRIATIVO No trabalho jornalístico, processo criativo muitas vezes é o nome que se dá ao pânico. É preciso cumprir prazos e você acaba produzindo, inspirado ou não.

PROFESSOR Sempre achei que o melhor professor de português do Brasil foi o Pelé. Quem o viu jogar ou hoje vê os seus teipes sabe que o Pelé jamais fez uma jogada que não fosse parte de uma progressão para o gol. O sentido de tudo que o Pelé escrevia com a bola no campo era o gol. O drible espetacular era apenas circunstancialmente, com perdão do longo advérbio, espetacular, porque ele existia em função do objetivo final. A lição para escritores é: defina o seu gol e tente chegar lá como o Pelé chegaria, com poucos mas definitivos toques, sem nunca deixar que os meios o desviem do fim. E se, no caminho para o gol, você fizer alguma coisa espetacular, esforce-se para dar a impressão de que foi apenas por obrigação.

PROFISSÕES O charlatão é a segunda profissão mais antiga do mundo. A mais antiga é o camelô.

PROFUNDEZAS O mar tem um deserto no fundo.

PROPAGANDA Anuários de propaganda são esses livros que a gente folheia nas agências em busca de ideias originais na esperança de que o cliente não tenha o mesmo anuário.

PROPINAS Juscelino inaugurou o regime sob o qual vivemos e do qual tudo o mais é decorrência: a ilicitocracia. O governo por licitação suspeita, o lobby como programa, o "quanto eu levo nisso" como lema e a propina como sistema.

PROVÉRBIOS Tem um velho provérbio chinês que diz: sempre que estiver em dificuldade para começar uma crônica, apele para um velho provérbio chinês.

PRUDÊNCIA Marido de parteira dorme do lado da parede.

PT O PT não apoia nem a si mesmo.

PUDIM O pudim de laranja é a única prova convincente da existência de Deus. Além da Patricia Pillar, claro. (*Cf. Netos*)

Q

O **Q** é um O com a língua de fora.

QUADRINHOS Nos filmes e histórias em quadrinhos da nossa infância recebíamos uma lição da qual só agora me dou conta. Não era a que o Bem sempre vence o Mal, embora o herói sempre vencesse o bandido. Quem dava a lição era o bandido, e era esta: a morte precisa de uma certa solenidade. O bandido era incapaz de simplesmente matar alguém, ou matar alguém simplesmente. Para ele o ato de matar precisava ser lento, trabalhado, ornamentado, erguido acima da sua inaceitável vulgaridade — enfim, tão valorizado que dava ao herói tempo de escapar e ainda salvar a mocinha.

QUADRO Todo quadro é uma tentativa de enganar o tempo.

QUARENTÃO Chega um dia na vida de todo homem em que ele se olha no espelho de manhã e tem uma revelação estarrecedora: sua mulher está dormindo com outro! Depois ele olha melhor e vê que não é outro, é ele mesmo, mas por alguma razão inexplicável ele está com quarenta anos. (*Cf. Meia-idade*)

QUARESMA No calendário cristão, o Carnaval é a festa do "adeus à carne" que precede a Quaresma. No Brasil é a mesma coisa, só que a gente dá adeus à carne, dá adeus, mas ela não vai embora.

QUARTA DE CINZAS No Brasil, o verdadeiro dia primeiro de janeiro é a Quarta-Feira de Cinzas — à tarde. É o dia nacional do recomeço solene.

QUARTÉIS Toda iniciação é um ritual de emporcalhamento, seja a do calouro na escola, do recruta no quartel ou do postulante na sociedade secreta.

QUARTERBACK No futebol americano, o quarterback é quem

determina, por sua conta ou obedecendo às instruções do técnico, que tipo de jogada será tentada, se ele fará um passe ou dará a bola para um subalterno carregar através das linhas inimigas. É o intelectual do time e, como qualquer intelectual, precisa de tempo e tranquilidade para pensar no que fazer.

QUASE Recebo xingamentos e elogios por coisas que não escrevi. Uma vez uma senhora me parou para falar que nunca gostou muito dos meus textos, mas que um chamado "Quase" era muito bom. Eu nunca escrevi isso, mas agora ele é quase meu.

QUEDA Muitas pessoas têm uma queda para a literatura, nem que seja só de um degrau.

QUEIXAS Toda liberdade é relativa. Há os que passam o dia inteiro livres e chegam em casa se queixando disso. São os motoristas de táxi.

QUENTE Se você lê que uma mulher é "bem fornida", sabe exatamente como ela é. Não gorda mas cheia, roliça, carnuda. E quente. Talvez seja a semelhança com "forno". Talvez seja apenas o tipo de mente que eu tenho.

QUIETO A falsa ideia, entre meus amigos, de que eu falo pouco se deve ao fato de que entre eles eu não tenho oportunidade. Eu não sou quieto, sou é muito interrompido. (*Cf. Entrevista*)

R r

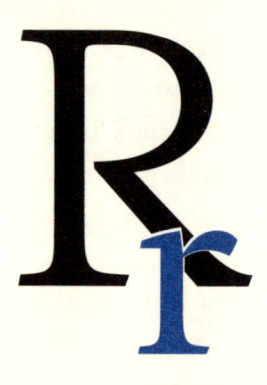

RACIOCÍNIO Muitas vezes a coisa mais importante para manter um casamento estável não é a fidelidade, a honestidade ou sequer o amor — é o raciocínio rápido.

RÁDIO Nunca perdi a impressão de que quem não transmitisse o futebol como um locutor brasileiro de certa forma o estava traindo. Era inadmissível, por exemplo, que o grito de "gol" tivesse só um "o".

RATO Deus criou a Terra e tudo que nela habita, inclusive a barata e o vendedor de enciclopédia, mas não se responsabiliza pelo rato. De todos os animais que existem só o rato não foi criado junto com o mundo.

RAZÃO Um racional é um supersticioso que ainda não chegou embaixo da escada.

REAL Uma moeda chamada Real tem o mesmo problema de uma mulher chamada Virtude ou um homem chamado Intrépido. A qualquer momento seu comportamento pode desmentir seu nome.

RECEITAS A única parte de uma receita que me interessa é o "leve-se à mesa".

RECORDAR Sempre escrevemos para recordar a verdade. Quando inventamos, é para recordá-la mais exatamente. (*Cf. Autoria*)

REENCARNAÇÃO Quem acredita em reencarnação e pesquisa sobre suas vidas passadas geralmente descobre que foi, se não um herói homérico, nunca menos do que um faraó, uma rainha ou um artista famoso. Ninguém admite ter sido um piolho ou uma faxineira em Versalhes. E todos têm um consolo para a sua atual condição: ela não passa de uma etapa, uma transição entre um grande personagem e outro, fazendo estágio como apenas ele.

REFEIÇÕES Vida: esse espaço aborrecido entre as refeições. (*Cf. Passatempo*)

REJEIÇÃO Você sabe que não está agradando quando a mulher olha para você como se tivesse acabado de tirá-lo do seu nariz.

RELIGIÃO Meu único sentimento com relação às pessoas religiosas é o de inveja: quem me dera um Universo arrumado assim, com uma explicação e um centro. O meu é uma bagunça.

RELÓGIO Nenhum homem pode viver sem as suas coordenadas no tempo. O completo homem moderno quer olhar para seu relógio e saber que está ali, naquele minuto daquele século, vivo, consciente, ativo e, meu Deus, atrasado para o dentista.

REMORSO Um dos maiores enganos da humanidade a seu próprio respeito é que existe o remorso.

RENASCENÇA A gente vive para a frente, mas compreende para trás, ninguém na época disse "Oba, começou a Renascença!".

REPERCUSSÃO Um escritor só é responsável pelo seu texto até o ponto final. O mundo que o texto vai encontrar depois do ponto final — o mundo dos leitores, dos críticos, do comércio e das repercussões — escapa ao seu controle. (*Cf. Ofício*)

REPRODUÇÃO Usar o sexo só para a reprodução é como só sair com o carro para levar na oficina.

REPÚBLICA República. Do latim *res publica* ou vaca conhecida. Numa república todos são iguais perante a Lei, mas é só ela virar as costas que fica um querendo tirar vantagem do outro. Volta a Lei e todo mundo esconde as armas e o baralho e faz cara de inocente, alguns até assoviando.

REPUTAÇÕES O tempo é danado para destruir reputações. E qualquer pessoa que não morre aos vinte e oito anos ele toma como provocação. (*Cf. Quadro*)

RESOLUÇÕES Resoluções são promessas que fazemos à nossa consciência em que nem a consciência acredita mais.

RESPOSTAS Será que o cérebro humano está capacitado a responder a todos os enigmas da existência? Calma, vou repetir a pergunta. (*Cf. Complexidade*)

RESSACA A ressaca é a prova de que a retribuição divina existe e que nenhum prazer ficará sem castigo. (*Cf. Licor de ovos*)

RESTAURANTE Existe uma regra inescapável segundo a qual, quanto menores as porções, mais caro o restaurante. Um dia um empreendedor europeu ainda vai atingir a perfeição e montar um restaurante em que toda a refeição cabe num pires e a conta vem numa travessa.

RESUMO Minha neta Lucinda, aos sete anos, anunciou que inventara uma piada. Tinha duas notícias, uma boa e uma má. A notícia má era que não havia notícia boa. Sem saber, fez um resumo perfeito do Brasil de hoje.

RETICÊNCIAS Tudo que tem reticências é filosófico. Ou irônico, que é o filosófico que dá briga.

RÉVEILLON Servimos lentilha à meia-noite em ponto do dia 31 de dezembro não por superstição, mas porque, que diabo, até agora tem dado sorte. (*Cf. Búzios*)

REVELAÇÃO Um homem só se conhece em duas situações: quando está sob a ameaça de uma arma ou quando quer conquistar uma mulher.

REVERÊNCIA Vi o Maracanã encher para ver o Pelé jogar pelo Santos contra times do exterior. Poucos no estádio eram santistas, menos ainda torciam pelo outro time. Estávamos lá em reverência ao talento. Estávamos lá para ver o gigante. (*Cf. Maradona*)

REVISORES E o revisor que não conseguia tomar sopa de letrinha? Ia corrigindo, corrigindo, até que a sopa esfriava.

REVOLUÇÃO SEXUAL A revolução sexual um dia ainda vai ser comemorada como a Revolução Francesa, com a invenção da pílula anticoncepcional correspondendo à queda da Bastilha e o fim dos sutiãs ao fim da monarquia — e o termo sans-culotte, claro, adquirindo novo significado.

RIDÍCULO Durante o sexo você pode dizer coisas como "Sim, sim, espreme a haste do meu ser entre essas polpas carnudas, ó deusa primeva!" sem se sentir ridículo.

RIO DE JANEIRO O Rio é uma cidade pouco provável. Se recusa a acreditar que às suas costas há um continente para ser ocupado e fica ali, entre as montanhas e o mar, pagando caro para não sair. (*Cf. Suíça*)

ROBÔS Planejam para o futuro um presidente robô para o Brasil, cuja maior vantagem sobre todos os outros presidentes da nossa história é que ele não terá parentes.

ROCK O megaconcerto de rock, essa paródia controlada de um levante popular, nasceu com os Beatles.

RODAPÉ Interromper a leitura para consultar notas de pé de página é como ter que sair da cama quente para ver que barulho é aquele no porão.

ROLLING STONES Os Rolling Stones levaram a revolução dos Beatles um passo para a frente, pois não eram apenas heróis culturais proletários como os Beatles, eram heróis culturais proletários e feios. Muito mais democráticos e perigosos. (*Cf. Beatles*)

ROMA Em Roma, as sucessivas civilizações não vão esmagando as anteriores. As velhas e as novas se ajeitam e convivem, e você passa de uma para outra apenas atravessando uma rua — só cuidando para não ser atropelado por uma Fiat 500.

RONALDO Em 2002, Ronaldo imitou a trajetória clássica do herói mitológico que desce ao inferno e volta para refazer a história. Voltou do abismo para refazer a final de 1998, na França. É o primeiro mortal real a retornar no tempo para corrigir a própria biografia. (*Cf. Biografia*)

RUBEM BRAGA O tamanho do texto não determina a sua qualidade. Sempre cito o exemplo do Rubem Braga, que raramente passou do tamanho normal de uma coluna e mesmo assim foi um dos nossos maiores escritores.

O IMPOSTOR (*)

* ESTE NÃO É ELE

DONA MARILU, ANTES E DEPOIS

O SR. ALCÂNTARA COM A SUA PORÇÃO MULHER (DALVA)

A SRA. ALCÂNTARA E O SEU VERDADEIRO EU

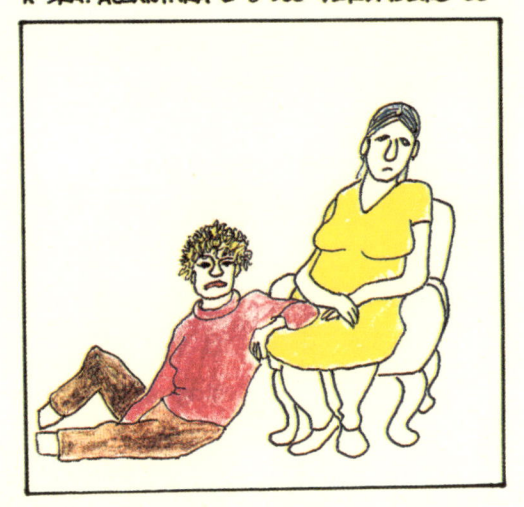

AZUL ESCURO

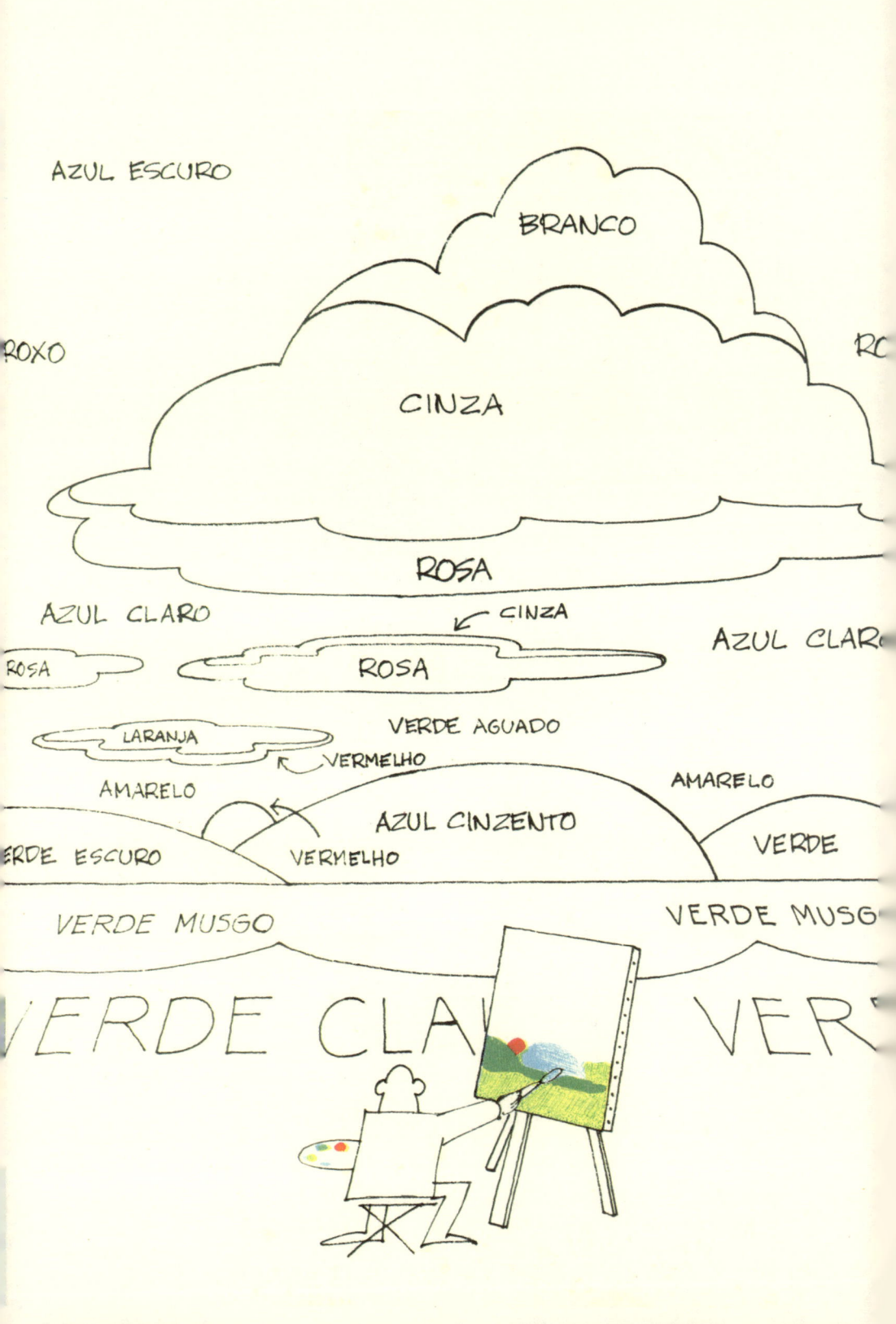

BRANCO

ROXO

CINZA

RO

ROSA

AZUL CLARO

CINZA

ROSA

ROSA

AZUL CLAR

LARANJA

VERDE AGUADO

VERMELHO

AMARELO

AMARELO

AZUL CINZENTO

ERDE ESCURO

VERMELHO

VERDE

VERDE MUSGO

VERDE MUSG

ERDE CLA

VER

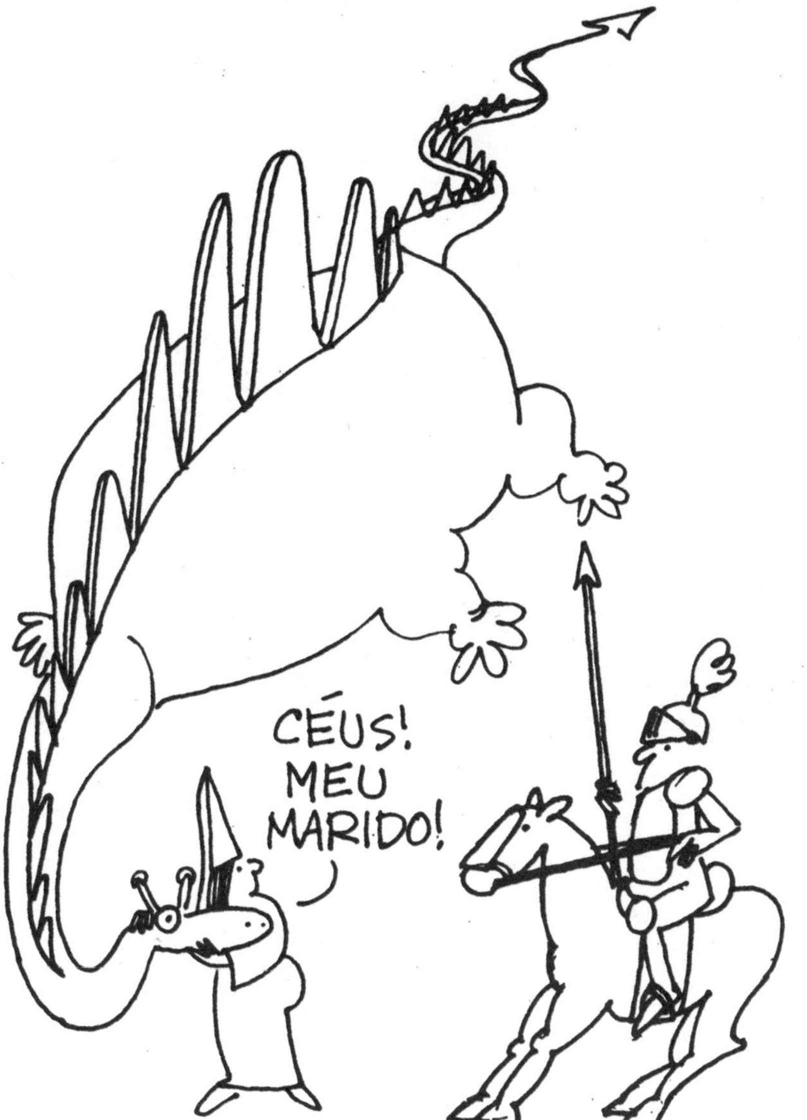
CÉUS! MEU MARIDO!

VAI COMEÇAR AQUELE PAPO DE REFORMA AGRÁRIA...

— AS MODAS CULTURAIS PASSAM RAPIDAMENTE. O CARA, AGORA, É SLAVOJ ZIZEK

— QUEM?

— SLAVOJ ZIZEK. VAI DIZER QUE NÃO SABE QUEM É?

— SEI. É O CARA

— NÃO É MAIS

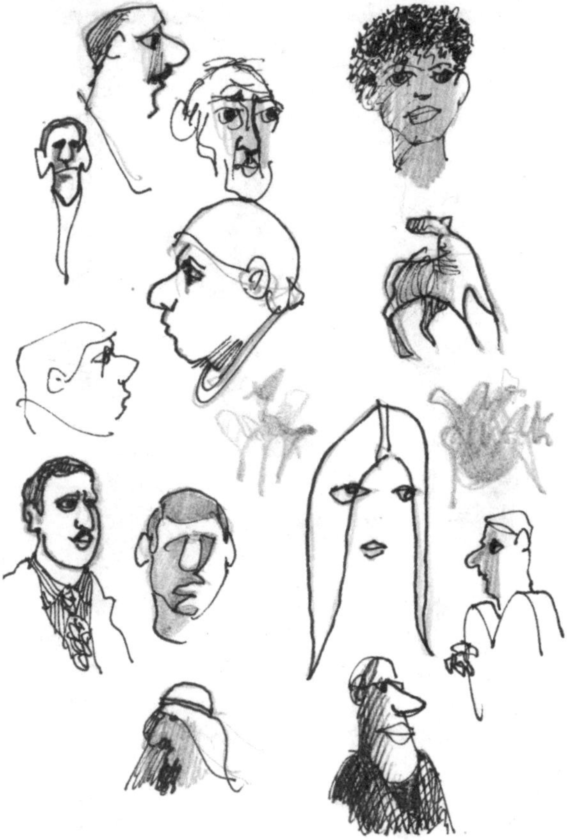

| ASSIM NÃO PODE CONTINUAR | O SR. PRECISA ESCOLHER |

| UM REGIME, E A VIDA... | OU O RISOTO, A POLENTA, A MACARRONADA |

| E A MORTE | HMMM... | |

| | ESSE RISOTO, É COM QUE? |

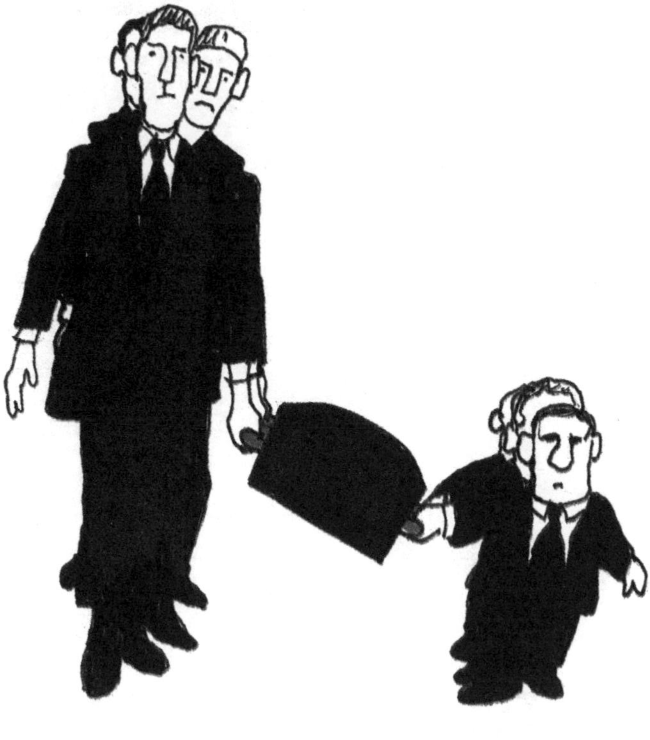

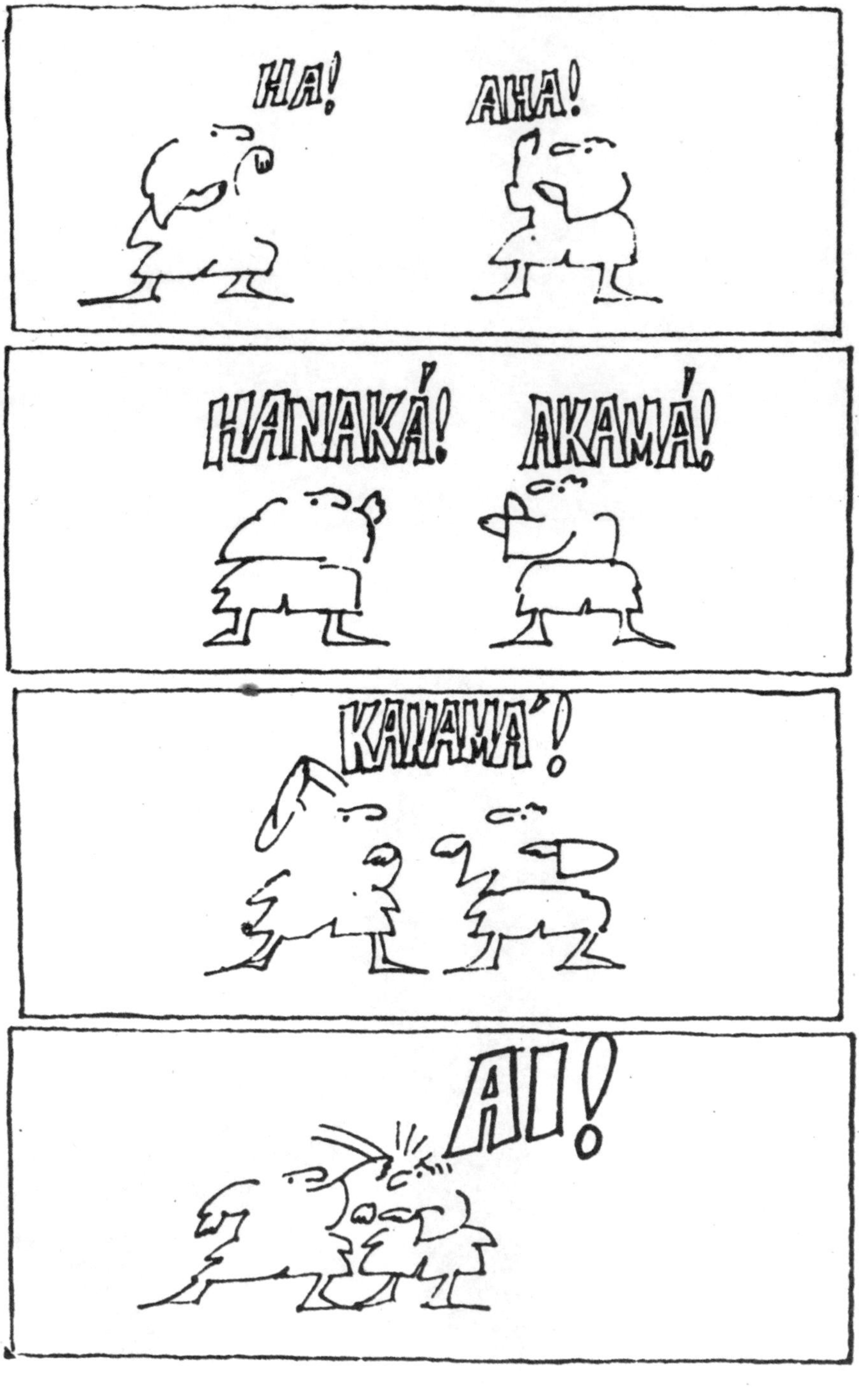
HA!
AHA!
HANAKÁ!
AKAMÁ!
KANAMÁ!
AI!

S

SÁBADO Sábado é aquele dia semiútil, uma espécie de domingo sem muita convicção. Você não pode fazer as coisas que normalmente faz nos domingos, como nada, mas também não pode fazer muito, posto que é sábado.

SABIÁ Acho "Sabiá", música do Tom, letra do Chico, uma das coisas mais bonitas feitas no Brasil em todos os tempos, "coisas", aí, incluindo a nossa melhor literatura, nossa melhor pintura, as Bachianas do Villa-Lobos e a Patricia Pillar. (*Cf. Impossível*)

SAL Uma pessoa só é totalmente livre quando pode usar sal à vontade. (*Cf. Artérias*)

SALTO COM VARA O salto com vara certamente começou no sítio a cidades fortificadas, depois de decidirem que atirar javalis, martelos e discos por cima do muro não estava dando resultado.

SALVADORES DA PÁTRIA Do próximo que se apresentar como nosso salvador, vamos exigir prova de mãe virgem e no mínimo três milagres — em cartório!

SAMBA Sou o homem mais desatualizado que conheço. O samba pegou ou a moda ainda é o maxixe?

SAMBA-ENREDO O samba de desfile está cada vez mais rápido e marcial. O que tem seus riscos: qualquer dia uma escola não consegue parar na dispersão e invade a Argentina, com graves repercussões diplomáticas.

SAMURAI O melhor começo de filme de todos, para mim, é o de *Yojimbo* (ou é o outro, chamado, se não me falham os neurônios, *Sanjuro?*). O samurai do Kurosawa vem por uma estrada e chega a uma encruzilhada. Não sabe que caminho escolher. Nisto, por um dos caminhos, surge um cachorro com alguma coisa na boca. Quando chega perto vê-se o que ele tem na boca: é uma mão decepada. O samurai não hesita. Segue pelo caminho de onde veio o cachorro, sabendo que no fim daquela estrada encontrará emprego.

SAN FRANCISCO Sabemos, pelo cinema, que há perseguições de carros pelas ruas de San Francisco a todas as horas do dia. Quando não é perseguição mesmo, estão filmando uma. Há pessoas que esperam semanas para atravessar uma rua em San Francisco.

SANTO Que grande observador do mundo teria bolado a frase "pra baixo todo santo ajuda"? É o comentário mais devastadoramente irônico jamais feito sobre a circunstância humana, a fé religiosa e a intervenção da metafísica em nossas vidas, sem falar no abjeto oportunismo dos santos que só nos acodem nas boas. A vida está cheia de gente assim, de solidários só no declive.

SAPO O homem não é o único animal que engole sapo, mas é o único que não faz isso pelo valor nutricional. (*Cf. Azia*)

SATURNO Acho o Universo um barato e não faria o mundo diferente, apesar de concordar que certas coisas — Saturno, por exemplo, e todo o repertório do Julio Iglesias — são de gosto duvidoso.

SAÚDE No meu último eletrocardiograma a agulha escreveu um palavrão no gráfico, mas os médicos dizem que não é nada.

SAXOFONE Ainda toco saxofone, eventualmente, se bem que haja discussões sobre se "tocar" é o verbo exato.

SÉCULO XX Esse foi o século das boas intenções derrotadas. O que se podia esperar de um século que nos deu a bomba atômica e o Boy George? (*Cf. Preferências*)

SEGREDO O segredo de um bom casamento é: nunca voltar um dia antes. (*Cf. Trapézio*)

SEGUNDA-FEIRA Deus criou o mundo em seis dias, descansou no domingo e na segunda-feira se arrependeu.

SEGUNDA GUERRA Durante a Segunda Guerra Mundial, era comum ouvir a sirene anunciando o blecaute na cidade, para prevenir contra um ataque inimigo. Nunca se soube bem de onde viria um ataque alemão a Porto Alegre, talvez de Novo Hamburgo, mas era melhor não facilitar.

SEIO Filmes europeus eram bons porque, volta e meia numa cena de massacre de cristãos, por exemplo, aparecia um seio nu. Ficava-se torcendo por um massacre.

SELFIE Tirar a própria fotografia é a terceira coisa mais íntima que uma pessoa pode fazer com ela mesma, depois da masturbação e do suicídio. (*Cf. Vaidade*)

SELO A uísque dado não se olha o selo.

SENSUALIDADE No Rio ninguém faz sexo. Ele já vem pronto. (*Cf. Carioca*)

SENTIMENTOS Deus criou o Céu e a Terra e o Dia e a Noite, e deu nome às plantas, aos bichos e às coisas. Mas também era preciso dar nome aos sentimentos e às emoções, a perplexidades e a situações inusitadas, e, sentindo-se despreparado para a tarefa, Deus criou os franceses.

SEPARAÇÃO Existem 117 maneiras de o amor acabar, sendo catorze delas de algum modo ligadas ao tédio, doze a fatores metafísicos (como a conversão de um dos dois a uma religião oriental enquanto o outro não apenas continua cético como faz pouco do seu corte de cabelo), vinte e sete a fatores físicos (pele oleosa etc.) e trinta à interferência de terceiros e/ou familiares. Sobram trinta e quatro maneiras de o amor acabar, que entram na categoria diversos. (*Cf. Casamento*)

SER SUPERIOR Existe um ser superior que dirige as nossas vidas, mas ninguém entende como ele passou no psicotécnico.

SETE A UM Quando os zagueiros David Luiz e Dante finalmente se conheceram, se apertaram as mãos ("muito prazer", "muito prazer", "precisamos nos encontrar!"), já estava 5 a 0 para a Alemanha.

SEXO O sexo é a coisa mais íntima que pode haver entre um homem e uma mulher, fora o casamento.

SEXO FRÁGIL Muitas mulheres consideram os homens perfeitamente dispensáveis no mundo, a não ser naquelas profissões reconhecidamente masculinas, como as de costureiro, cozinheiro, cabeleireiro, decorador de interiores e estivador.

SEXO ORAL Sexo oral é muito prático porque pode ser feito, inclusive, pelo telefone.

SEXY Se sua voz pudesse ser engarrafada teria que ser mantida numa prateleira alta. Longe das crianças.

SIGILO Algo morreu dentro de alguns brasileiros com a descoberta de que não se pode confiar mais nem em bancos suíços, e nada mais é sagrado. (*Cf. Bancos*)

SIGLAS Fazer siglas é a terceira paixão do brasileiro, depois do futebol e do boato.

SIGNIFICADOS Muitas palavras pedem outro significado do que os que têm. "Plúmbeo" devia ser o barulho que um objeto faz ao cair na água. "Alvíssaras" deviam ser flores, "picuinha" um tempero e "lorota", claro, o nome de uma manicure gorda.

SILÊNCIO Nenhum silêncio é mais denso e opressivo do que o silêncio de um elevador.

SÍLFIDE Certas palavras nos dão a impressão de que voam, ao saírem da boca. "Sílfide", por exemplo. É dizer "sílfide" e ficar vendo suas evoluções no ar, como as de uma borboleta.

SIMPATIA Perguntaram ao tarado por que ele seguira a mulher até a casa dela, e derrubara a sua porta, e quebrara todos os seus móveis perseguindo-a, e a atacara diversas vezes, e no fim abrira o seu peito com uma dentada e comera o seu coração, e ele respondeu: "Sei lá. Simpatizei".

SINAL VERMELHO O sinal de trânsito é repressivo. O sinal vermelho é uma violência contra o direito de ir do cidadão. Mas o cidadão que se rebela contra o sinal vermelho no trânsito pode se ver, subitamente, em outro trânsito, desta para melhor.

SINCERIDADE A mentira tem uma função social importante. A gente mente para não magoar, para evitar conflitos, para salvar casamentos e principalmente para não se incomodar. A sinceridade é uma virtude supervalorizada.

SINUCA Já joguei sinuca valendo a vida. Perdi, mas aceitaram um vale.

SOCIABILIDADE Sou um antissocial com muitos amigos.

SOCIALISMO Tenho certeza de que meus filhos ainda viverão sob o socialismo. Em Paris, às minhas custas.

SOLIDÃO Ninguém está realmente sozinho numa ilha deserta. Está com Deus, está consigo mesmo e está com seu eu interior. Dá até para sair um pôquer. (*Cf. Elefantes*)

SOM Sabemos que estamos ficando velhos quando passamos do grupo que diz "Aumenta o som" para o grupo que diz "Não dá para abaixar um pouquinho?".

SONO De todas as tiranias da natureza sobre o corpo, a pior é a do sono. Nossas outras necessidades fisiológicas — a alimentação, a evacuação, o sexo e a vontade de, vez que outra, dar um peteleco em alguém — podem ser resolvidas em pouco tempo e estão sob o nosso relativo controle.

SOPA A sopa nos dá, como nenhum outro tipo de comida, a oportunidade de demonstrar nosso prazer à mesa. Os chineses, inclusive, consideram falta de educação tomar uma sopa em silêncio. Deve-se sorvê-la ruidosamente, indicando para quem quiser ouvir, mesmo na rua, que ela está ótima e que a vida, tirando algumas passagens de extremo mau gosto, vale a pena ser saboreada. Experimente dizer tudo isto com um canapé. (*Cf. Coquetéis*)

SORRISO Ela deu um sorriso tão bonito que o rabo dos meus olhos começou a abanar de alegria.

SORVETE Se eu pudesse escolher um outro homem para ser, seria um inventor de novos sabores para fábricas de sorvete.

SOVINA A sovinice dele é lendária. Levou nadadeiras quando visitou Veneza, para não gastar com táxi.

SUBDESENVOLVIDOS Representantes de países desenvolvidos e subdesenvolvidos estão reunidos em Paris. Discussões sobre uma nova ordem econômica mundial prosseguem em clima de completa igualdade. Os delegados reúnem-se à noite para continuar os debates — depois que os subdesenvolvidos terminam a faxina no salão.

SUBVERSIVO Certa vez, proibiram uma crônica minha para o rádio porque comentava a Teoria de Darwin sobre a evolução das espécies, que, tantos anos depois da sua publicação, não teria mais nada de subversiva. Nunca entendi. Talvez a teoria da evolução lembrasse macacos, macacos lembrassem gorilas, e gorilas lembrassem, metaforicamente, generais.

SUCESSO Quando se diz que por trás de todo homem de sucesso há uma grande mulher, geralmente é a secretária.

SUÍÇA A Suíça não é um país, é uma paisagem. O último cidadão a levantar a voz na Suíça foi soterrado por uma avalanche. (*Cf. Túnel*)

SUICIDAS No fundo, no fundo, os escritores passam o tempo todo redigindo a sua nota de suicida. Os que se suicidam mesmo são os que a terminam mais cedo.

SUICÍDIO O suicídio é o supremo paradoxo humano, porque é o último.

SUPER-HOMEM Como se sabe, o Super-Homem se fantasia de Clark Kent. O Super-Homem "sai" de Clark Kent como você sai de tirolês estilizado no Carnaval.

SUPERMERCADO Difícil deve ser viver em países menos brasileiros. A mesmice. O tédio. Imagine as coisas terem o mesmo preço dia após dia. Você vai ao supermercado e na volta não tem o que comentar em casa.

SUPERPODERES Hoje o superpoder que mais admiro ao ler quadrinhos é o de não envelhecer nunca, mas isto as crianças ainda não entendem.

SUPERSTIÇÕES O primeiro animal que você encontrar na rua no Ano-Novo pode significar muita coisa. Cachorro é sorte. Gato é dinheiro. Rato é saúde. Um bando de hienas é azar, corra. Um cavalo roxo dançando o xaxado na calçada significa que você está bêbado. Vá dormir.

SUTIÃ Me lembro da adolescência como uma única e interminável tentativa de desengatar sutiãs. Os sutiãs eram presos atrás de mil maneiras. Ganchos, presilhas, botões, solda. Você precisava de um curso de engenharia para desengatá-los. (*Cf. Primeira vez*)

T t

TABLETS Crônicas são anotações nas margens da história. Uma analogia que só se sustentará enquanto o livro não for substituído pelo tablet.

TANCREDO O único presidente do Brasil que não ficou comprometido no cargo foi o Tancredo Neves.

TARADO Um moralista é um tarado que ainda não ficou preso no elevador com a Carla Perez.

TARANTINO A cena que Quentin Tarantino mais gosta de fazer, tanto que fez várias, é a de pessoas se apontando armas ao mesmo tempo e decidindo como resolver o impasse. O gênero policial reduzido à sua essência, sem literatura, como o pênalti é o futebol sem a retórica: duas ou mais pessoas lidando com as probabilidades de arrebentarem a cara do outro sem perder a sua. (*Cf. Violência*)

TARAS Todo mundo conhece o sadismo, que é o sexo feito à maneira do Marquês de Sade, e o masoquismo, que é sexo como gostava o Barão de Masoc, mas pouca gente sabe que existem outras taras sexuais ligadas à literatura. Por exemplo: o Jorge Luis Borgismo, quando o homem só chega ao orgasmo sendo açoitado por uma estudante de linguística dentro de um labirinto. O Ernest Hemingwayismo, que é quando o homem só se satisfaz transando com uma mulher e atirando num leão, ou vice-versa, ao mesmo tempo. (*Cf. Vagina*)

TAXISTAS O Brasil vai mal porque as únicas pessoas que sabem como governá-lo estão dirigindo táxis, em vez de no governo. Os motoristas de táxi têm a solução para todos os problemas do país ou — dependendo do tamanho da corrida — do mundo. Um dia, quando estivermos na iminência do caos terminal (pode ser amanhã), uma revolução popular colocará os homens certos nos lugares certos. Os motoristas de táxi, os dentistas e os barbeiros assumirão o poder, colocarão em prática suas teorias e resolverão todos os nossos problemas. (*Cf. Queixas*)

TECNOLOGIA Tenho, diante de qualquer mecanismo mais complicado que uma tesoura, o mesmo temor reverencial, nascido da ignorância, que os antigos tinham diante do trovão. Na verdade, nunca entendi direito como funciona uma torneira.

TELÊ SANTANA Acho que a única vez em que o Brasil viajou para uma Copa firmemente convencido de que não perderia foi em 1982. Aquele timaço, aquele futebol bonito e ofensivo do Telê... Tinham de ter nos dado a Copa na chegada, dispensando a formalidade dos jogos. Insistiram em manter a tabela e foi aí que nos demos mal.

TELEFONE Estar longe de qualquer telefone não é mais um sonho realizável de sossego e privacidade — o telefone foi atrás.

TEMPO Não existe "tempo" como nós o definimos, no Universo. É sempre o mesmo dia, que nunca acaba. No Universo, é sempre domingo sem futebol. (*Cf. Passatempo*)

TEORIAS DA CONSPIRAÇÃO Teorias conspiratórias são bons exercícios de imaginação. Você só precisa partir do princípio de que nada é o que parece ser, dos seios da Xuxa ao infinito. (*Cf. Ingenuidade*)

TERRA Planeta redondo, chato nos polos, e aborrecido nos domingos.

TERROR Você eu não sei, mas um dos meus terrores é o teatro interativo. A possibilidade de acabar no palco, ou de alguém do palco acabar no meu colo. Quando começa a peça, o tímido fica preparado. E ao menor sinal de interação — nem que seja um ator que se aproxime muito do proscênio ou olhe para a plateia de um modo suspeito — ele não hesita. Foge para a rua. Correndo, pois há sempre a possibilidade de o elenco vir atrás dele.

TERRORISMO A destruição do World Trade Center acabou com toda a possibilidade de diálogo entre as gerações. Nossas referências não batem, quem viu as torres se esfarelarem e quem não viu vivem em universos diferentes, sem comunicação possível.

TESÃO O poder é estimulante. Quem está no governo tem sempre tesão de seminarista. Só muda o objeto da paixão do homem. Em vez da mulher dele, é a nossa paciência.

TESES Muitas vezes as melhores teses são as que negam os fatos, numa notável demonstração de independência.

TESOURO O centro do poder brasileiro não fica em Brasília, mas numa salinha ao lado do depósito de material de limpeza do prédio do Tesouro americano, com "RAZIL" escrito na porta. O "B" caiu.

TEXTO PUBLICITÁRIO Quem escreve para publicidade está sempre atrás da frase definitiva. Não importa se for sobre um uísque de luxo ou uma liquidação de varejo, importa é a frase. O melhor texto de publicidade que eu já vi era assim: uma foto colorida de uma garrafa de uísque Chivas Regal e, embaixo, uma única frase: "O Chivas Regal dos uísques".

TEXTOS NATALINOS Já fomos sentimentais, já fomos amargos, já fomos sarcásticos e blasfemos, já fomos simples, já fomos pretensiosos — não há mais nada a escrever sobre o Natal!

TIMES Em certos times, a defesa parece europeia e o ataque parece argentino. Ou seja, tem um oceano entre eles. (*Cf. Ataque*)

TIMIDEZ Para o tímido, duas pessoas são uma multidão. (*Cf. Terror*)

TIRANOS Só é totalmente livre quem pode exercer a sua vontade sem qualquer limitação moral ou material. Isto é: o tirano. Assim, a liberdade suprema só existe nas tiranias. (*Cf. Liberdade*)

TITANIC "O filme é sobre o quê?" Quem já teve de responder a esta pergunta sabe como é difícil a vida dos resumidores. *Titanic* é sobre um homem, uma mulher e uma pedra de gelo — entre outras coisas.

TOLERÂNCIA Nenhum juiz expulsa ou dá pênalti no primeiro minuto de jogo. Assim os zagueiros têm um período de tolerância para impor sua autoridade, uma espécie de licença tácita para matar, ou pelo menos assustar, de um minuto.

TORCEDOR Amamos uma camiseta, um nome, um escudo. Amamos, no fim, uma abstração. Mas o que realmente nos leva ao estádio, e nos envolve e reforça nossa devoção, é nada mais concreto do que o grande jogador.

TORRE EIFFEL Era um sujeito tão burro que propôs a demolição da Torre Eiffel porque já era mais que evidente que não encontrariam petróleo no local.

TRADIÇÃO Na Rússia, depois de brindarem o Ano-Novo com vodca, os convidados devem atirar suas taças contra a parede e depois ficar muito brabos porque não há mais copos na casa e atirar o anfitrião contra a parede. De qualquer maneira, a festa termina cedo.

TRADUTORES Deus disse "que haja muitas línguas, e que cada língua tenha muitos dialetos". E depois, para ter certeza de que os homens nunca mais se entenderiam, completou: "E que haja tradutores".

TRÂNSITO O trânsito é uma das provas de que não há nada menos civilizado que a civilização. (*Cf. Civilização*)

TRAPÉZIO O casamento é como um número de trapézio, um precisa confiar no outro até de olhos fechados.

TRAVESSEIRO O mundo seria outro se a briga de travesseiro tivesse sido regulamentada e hoje fosse um esporte como o boxe, disputado por atletas em diversas categorias — almofadas, almofadões, travesseiros de penas ou de espuma etc. As brigas poderiam ser simples, de duplas ou entre equipes masculinas e/ou femininas e realizadas dentro de convenções internacionais, com regras padronizadas para evitar o sufocamento, ou travesseiros com peso escondido, ou fronhas fora das especificações oficiais.

TRICAMPEONATO A Copa de 1970 ficou marcada como a Copa da ambiguidade. Nunca foi tão difícil e nunca foi tão fácil torcer pelo Brasil. Difícil porque torcer era uma forma de colaboracionismo, fácil porque o time era de entusiasmar qualquer um.

TRIUNFO A todo triunfo corresponde uma ressaca proporcional.

TROCA DE CASAIS A moda dos casais trocados é relativamente nova. Quer dizer, desejar a mulher do próximo é antigo como os dez mandamentos; a novidade é o próximo gostar da ideia e desejar a sua mulher também.

TRUMAN CAPOTE Truman Capote nunca fez muito sucesso na França, porque lá "capote" é o apelido de camisinha e o gosto francês pela ironia não vai tão longe.

TUBARÃO A parte de que mais gostei em *Tubarão* foi aquela do homem com o olho arrancado. Quando o tubarão engole o homem inteiro é bacana também. Gosto de filme que tem uma mensagem positiva.

TÚNEL O poeta Mario Quintana contava que a coisa de que mais gostava no Rio de Janeiro era entrar em túnel. Era a única maneira de descansar da paisagem. (*Cf. Paisagem*)

TURISMO Um dos lemas do turista diligente deve ser: se dá para entrar, entra. (*Cf. Mochileiro*)

TURISTA O turista é a última pessoa a quem você deve perguntar qualquer coisa a respeito de qualquer lugar. O bom turista deve viajar para se deslumbrar. Deve estar disposto a gostar de tudo e a deixar o senso crítico em casa. (*Cf. Viagem*)

TWIST Eu me lembro de dançar o "twist", e tenho as dores na coluna para provar. (*Cf. Adaptação*)

UMBERTO!

ECO!

U

permaneçam, cresçam e sejam pintadas de ruby incandescente.

UNIVERSO O Universo, afinal, não é tudo.

UFC O Ultimate Fighting é o telecatch despido da fantasia, com sangue de verdade. Não há mais mocinho e vilão, apenas duas máquinas de brigar, brigando. (*Cf. Boxe*)

UÍSQUE Você sabia que o uísque escocês que tomara na noite anterior era paraguaio quando acordava se sentindo como uma harpa guarani.

ÚLTIMAS PALAVRAS Eu gostaria de ser lembrado como um cara decente. Um cara decente como foi meu pai, decente em todos os sentidos da palavra. E que, sei lá, tocava um blues respeitável.

UNHAS As unhas do pé serviam bem ao macaco, mas nada explica que nos dias de hoje elas

V

O **V** nas cartilhas aparecia em várias formas: refletido na água (o X), de muletas (o M), com o irmão siamês (o W).

VAGINA A vagina é o principal órgão sexual feminino. Seu ponto mais sensível é o clitóris, que fica na entrada, como um guichê. Daí a insistência da sua parceira para que você passe primeiro por ele antes de entrar. (*Cf. Orgasmo feminino*)

VAIDADE Nunca deixamos de nos olhar no espelho. É uma curiosidade insaciável. O espelho junto da boca do moribundo que não fica embaçado com sua respiração não prova nada. Tente mais em cima. Só se seus olhos não se procurarem no espelho é certo que sua curiosidade morreu, e ele também.

VANTAGEM Eu não faço sexo no primeiro encontro, mas quem está contando? (*Cf. Taras*)

VARIAÇÕES Todas as histórias são iguais, o que varia é a maneira de ouvi-las.

VATICANO Mesmo contando só com a fé e a Guarda Suíça, o Vaticano teve tanta influência na história do século XX quanto qualquer potência armada.

VEGETARIANO Todo vegetariano é um canibal contrito. (*Cf. Gordura*)

VELHICE Estou na terceira idade do Homem. Depois da mocidade e da maturidade, a indignidade...

VELÓRIO Chega um momento na vida de todo homem em que ele começa a pensar no que vão dizer no seu velório.

VELUDO Não tive nenhuma roupa de veludo. Sou da geração pós-veludo e pré-jeans.

VENEZA Veneza estava onde

sempre esteve, só alguns centímetros mais baixa.

VERÃO Não duram mais do que a marca do maiô os amores de verão.

VERDADE Não existe a verdade, existe a versão que colou. (*Cf. Ficção*)

VERDE Nenhum animal verde merece confiança — ainda mais no prato.

VERSÕES Existe uma teoria segundo a qual o prestígio do boto entre pescadores, surfistas e outros seres marinhos se deve a uma deformação estatística. Tudo que sabemos do bom caráter do boto vem do relato de quase afogados que ele salvou, empurrando-os para a praia. Mas o boto empurra tanto para a praia quanto para o alto-mar. Estatisticamente, talvez tenha empurrado mais gente para a morte do que para a praia. Só que a versão dos afogados ninguém fica sabendo. (Também se diz que o boto é um tubarão frustrado, que empurra com o nariz porque não consegue morder, mas isso já é má vontade com o boto.)

VESTIBULAR Não haveria um jeito mais humano de fazer a seleção para as universidades? Por exemplo, largar todos os candidatos no ponto mais remoto da floresta amazônica e os que voltassem à civilização estariam automaticamente classificados? Afinal, o Brasil precisa de desbravadores.

VESTUÁRIO A indústria do vestuário se beneficia do sexo, ou você acha que as pessoas andariam com os jeans apertados desse jeito, arriscando à assadura e à gangrena, se não fosse pela sua conotação sexual? (*Cf. Jeans*)

VEXAME O tímido é uma pessoa convencida de que é o centro do Universo, e que seu vexame ainda será lembrado quando as estrelas virarem pó. (*Cf. Timidez*)

VIAGEM Gosto tanto de viajar que gosto até de espera em aeroporto. (*Cf. Hotel*)

VICE-CAMPEONATO O segundo

lugar é a inferioridade posta num pedestal para que todos a vejam. Uma estátua da pretensão castigada. Ser vice é como ser o último, com a desvantagem de que não provoca nem pena.

VÍCIOS Se a preguiça é a mãe, a ociosidade é a tia de todos os vícios.

VIDA A vida é uma história contada por um idiota, cheia de som e fúria, significando nada e dirigida pelo Sylvester Stallone.

VIDA ETERNA A vida eterna não deixa de ser um conceito atraente. Dependendo, é claro, de quem serão nossos vizinhos. (*Cf. Mesa-redonda*)

VIDA SEXUAL Eu acredito que o segredo para uma vida sexual feliz é o mesmo que para a saúde intestinal: a regularidade.

VIETNÃ A guerra do Vietnã foi a primeira guerra televisionada da história americana. Não transcorreu num remoto país asiático, transcorreu, em cores, na sala de estar de todo americano que não escolhesse virar o rosto.

VILÕES Nada é tão moderno em Shakespeare quanto os seus vilões. São quase sempre os únicos personagens lúcidos das suas peças, os únicos sem qualquer ilusão sobre a sua própria motivação e a dos outros. (*Cf. Barganha*)

VINGANÇA Humilhação e vingança, nada na história do teatro é tão antigo e tão eficaz. Nove entre dez novelas de televisão têm o mesmo enredo.

VINHO Sempre achei que o vinho deve ser pedido de acordo com a nossa disposição do momento, a temperatura do lugar, o estado da alma — ou do sistema gástrico — e só em último lugar a cor ou a textura do prato que ele vai acompanhar.

VINHO ROSÉ Como dizem os franceses: o tinto para os franceses, o branco para os americanos, o rosé para os idiotas.

VIOLÊNCIA Certos filmes são tão violentos que suas cenas de mutilação são para descansar o espectador para coisas mais fortes. (*Cf. Tarantino*)

VÍRGULA Vírgulas são como confeitos num bolo, a serem espalhadas com parcimônia nos lugares onde fiquem bem e não atrapalhem a degustação.

VIRTUDE O homem maduro é o que desiste da virtude impossível para não perder a possível.

VIZINHANÇA Você escolhe, até certo ponto, os amigos que quer ter e as pessoas com quem quer viver, mas não escolhe as pessoas mais importantes da sua vida. As pessoas que condicionam e determinam a sua existência e os seus humores: seus pais e os seus vizinhos.

VIZINHAS Todas as histórias de vizinhas da frente são mentirosas.

VOCAÇÃO Quando eu era pequeno, queria ser aviador ou cronista esportivo. Se possível as duas coisas juntas, um piloto de caça que, em tempos de paz, escrevesse sobre futebol.

VODCA Pedimos vodca e o garçom nos trouxe batatas: a fermentação era por nossa conta. (*Cf. Bar*)

VOLTAR É preciso voltar. A grande liberdade é essa, ter sempre para onde voltar. (*Cf. Odisseia*)

VOTO O que mantém nossa fé na democracia representativa é a esperança, seguidamente frustrada mas sempre renovada, de que os bons prevalecerão sobre os ruins. (*Cf. Eleições*)

W

A letra **W**, de Wellington ou Washington, só é mantida no alfabeto brasileiro para ser usada por jogadores de futebol, que têm exclusividade.

WASSABI Wassabi é uma raiz picante que, ralada, produz uma espécie de mostarda verde que não só condimenta a comida japonesa como desobstrui o nariz, cura a sinusite e faz estalar os tímpanos.

WATERLOO Boa festa de aniversário é aquela em que, depois que todos foram embora, a mãe do aniversariante examina os destroços com o mesmo olhar que Napoleão lançou sobre os campos de Waterloo depois da batalha.

WOODSTOCK O espírito de Woodstock não durou muito. Depois vieram os aborrecidos anos 1970, quando todo o mundo teve que ir ser egoísta e ganhar a vida.

WOODY ALLEN Woody Allen faz um humor intelectualmente pretensioso, cujo alvo principal é a pretensão intelectual. Não pode errar. A ideia de que Allen não pode ser entendido como deve fora do contexto intelectual judeu nova-iorquino me parece tão falsa quanto a ideia de que Kafka não significa nada fora do contexto intelectual judeu de Praga na sua época. (*Cf. Kafka*)

Xx

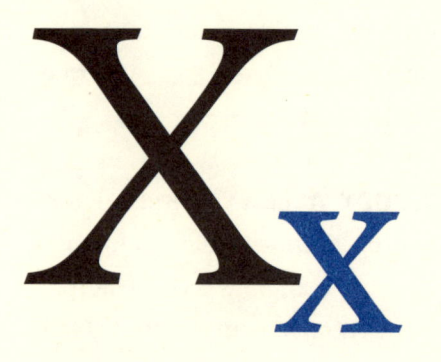

XADREZ O xadrez é um jogo violentíssimo. Parte do tempo em que parece estar pensando no seu próximo lance o jogador de xadrez se dedica a imaginar o que faria com o adversário e sua família se não precisasse se controlar. A única coisa comparável ao xadrez em violência é o polo jogado por mongóis, em que dois times a cavalo disputam a posse de um cabrito através de vastas extensões de estepes, muitas vezes arrasando cidades inteiras no caminho. O polo mongol é o xadrez sem o autocontrole.

XINGAMENTO Brasileiro só xinga a mãe do pior inimigo ou do melhor amigo.

XIXI Faz parte do anedotário da família a vez em que — para não ter que procurar o banheiro do cinema Imperial e perder o melhor do filme do Tarzan — simplesmente fiquei em pé e urinei ali mesmo, no chão. Devo esclarecer que isso foi há muito tempo e não tem nada a ver com os atuais odores do Imperial, que devem ser creditados a outra geração.

Yy

X, Y e Z são as últimas letras do alfabeto. O X e o Z são, juntos com o K, as letras mais duras e antipáticas do alfabeto, e existe uma suspeita de que sejam nazistas. Não admira que o Y, entre as duas, esteja com os braços para cima, apavorado.

Zz

O **Z** é o S depois de um choque elétrico.

ZAGALLO Durante toda a sua vida de técnico, Zagallo foi chamado de defensivista. Era esta anomalia: um carioca que não pensava o futebol cariocamente.

ZAGUEIRO Podemos formar grandes times e ganhar tudo, mas nunca estaremos satisfeitos com a nossa zaga. Viveremos eternamente essa privação do zagueiro absoluto, como os portugueses esperando a volta de dom Sebastião, e ela se integrará ao nosso caráter.

ZICO O Zico no fundo não existe. É uma entidade abstrata criada pelo inconsciente coletivo do Maracanã.

ZIDANE Tristeza em Paris só em 1998, com os gols de cabeça do Zidane.

ZODÍACO Sou de Libra. Minha vida é regida por Saturno, Urano e, estranhamente, pelo maestro Isaac Karabtchevsky.

NOTA DA EDITORA

As frases selecionadas para esta antologia foram garimpadas em livros, crônicas e entrevistas de Luis Fernando Verissimo publicados em variados veículos de imprensa para os quais o escritor trabalhou ou trabalha, como *Zero Hora*, *Playboy*, *Careta*, *Bundas*, *Veja*, *Folha de S.Paulo*, *O Estado de S. Paulo*, *O Globo*, *Jornal do Brasil* e sua histórica revista *Domingo*. Em alguns casos, as frases foram especialmente reescritas pelo autor para esta edição.

RELAÇÃO DE LIVROS CONSULTADOS

LIVROS DO AUTOR OU EM COAUTORIA

A décima segunda noite (DSN)
A eterna privação do zagueiro absoluto (PZA)
A grande mulher nua (GMN)
A mãe do Freud (MF)
A mesa voadora (MV)
A mulher do Silva (MS)
A velhinha de Taubaté (VT)
América (AMR)
Amor brasileiro (AB)
Amor verissimo (AV)
Aquele estranho dia que nunca chega (EDNC)
As Cobras (AC1)
As Cobras do Verissimo (AC2)
As Cobras & outros bichos (AC3)
As Cobras em: Se Deus existe que eu seja atingido por um raio (AC3)
As Cobras: Antologia definitiva (AC4)
As mentiras que as mulheres contam (MMC)
As mentiras que os homens contam (MHC)
Banquete com os deuses (BD)
Borges e os orangotangos eternos (BOE)
Cadernos de literatura brasileira: Carlos Heitor Cony (CLB)
Comédias brasileiras de verão (CBV)
Comédias da vida privada (CVP)
Comédias da vida pública: 266 crônicas datadas (CVPU)
Comédias para se ler na escola (CLE)

Conversa sobre o tempo (CST)
Crônicas de amor (CA)
Diálogos impossíveis (DI)
Ed Mort com a mão no milhão (EDM)
Ed Mort & outras histórias (EDMOH)
Ed Mort procurando o Silva (EDMPS)
Em algum lugar do paraíso (ALP)
Histórias brasileiras de verão (HBV)
Humor nos tempos do Collor (HTC)
Internacional, autobiografia de uma paixão (IAP)
Luis Fernando Verissimo: Quando a lucidez não perde a graça (LFV)
Mais comédias para ler na escola (MCLE)
Novas comédias da vida privada (NCVP)
Novas comédias da vida pública: A versão dos afogados: 347 crônicas datadas (VA)
O analista de Bagé (ANB)
O arteiro e o tempo (AT)
O clube dos anjos [Gula] (CDA)
O gigolô das palavras (GP)
O marido do doutor Pompeu (MDP)
O mundo é bárbaro: E o que nós temos a ver com isso (MB)
O opositor (OP)
O poder de mau humor (OPMH)
O popular (OPOP)
O rei do rock (ORR)

O suicida e o computador (OSC)
Orgias (ORG)
Outras do analista de Bagé (OANB)
Os espiões (OE)
Os últimos quartetos de Beethoven e outros contos (UQB)
Pai não entende nada (PEN)
Peças íntimas (PI)
Poesia numa hora dessas?! (PHD)
Sexo na cabeça (SC)
Time dos sonhos (TS)
Todas as histórias do analista de Bagé (THAB)
Torcedor (TOR)
Traçando Japão (TJ)
Traçando Madrid (TM)
Traçando New York (TNY)
Traçando Porto Alegre (TPA)
Traçando Roma (TR)
Traçando Paris (TP)
Tubarão, parte II (TP2)
Zoeira (ZOE)

LIVROS DE OUTROS AUTORES

O amor de mau humor (AMH)
O melhor do mau humor (MMH)
Tempo e contratempo (TC)
Ora bolas: O humor de Mario Quintana (OBH)
Gigantes do futebol brasileiro (GFB)
Encontros com o professor: Cultura brasileira em entrevista, volume 1 (EPCB)

RELAÇÃO DE VERBETES

As informações abaixo se referem, respectivamente, ao título do verbete, ao texto e à sigla do livro de onde foi retirado.

ABACAXI, "Sem intimidades", em *O Estado de S. Paulo*, 16 fev. 2014.
ABECEDÁRIO, "ABC", CLE.
ABISMO, cartum em AC4.
ACAMPAR, "Fobias", CVP.
ADÃO E EVA, "Em algum lugar do paraíso", ALP.
ADAPTAÇÃO, "Ai!", CVPU.
AGENDAS, "Agendas", HBV.
AGORA, AT.
AMANHÃ, cartum em PHD
AMANTE, "O dia da amante", MHC.
AMEAÇA, introdução em CVPU.
AMÉRICA, "Especiarias", MV.
AMÉRICA LATINA, "Simples", CVPU.
AMERICANOS, "Travessura", AMR.
AMIGOS, "Opinião", OPOP.
AMOR, "Amores", CA.
AMOR-PRÓPRIO, "Paixão própria", VT.
ANATOMIA, "Ai!", CVPU.
ANEDOTAS, "Anedotas", CLE.
ANIVERSÁRIO, "Idades", MMC.
ANTECEDENTES, cartum em AC4.
ANTEONTEM, "Abandonar-se", MV.
APELIDOS, "O que faltou", CBV.
APETITE, "O come e não engorda", MV.

APOSENTADO, "Meu adorável vagabundo", em *O Estado de S. Paulo*, 11 jan. 1990.
APRENDIZADO, "O flagelo do vestibular", MCLE.
ARGENTINOS, "Inhos", VA.
ARREPENDIMENTO, em *Veja*, nº 1464, 2 out. 1996.
ARTÉRIAS, "Ovo", MV.
ASSÉDIO, "O que fazer", AMR.
ASTRONAUTAS, "Absurdo por absurdo", CVPU.
ATACANTES, "A era dos centauros", TS.
ATAQUE, discurso de abertura da 10ª Flip, 4 jul. 2012.
ATLETAS DE CRISTO, "Talento", PZA.
AUTOCONHECIMENTO, "Sem intimidades", em *O Estado de S. Paulo*, 16 fev. 2014.
AUTOMÓVEIS, "Solidários na porta", OSC.
AUTORIA, "O analista de Bagé", ANB.
AZIA, "A última vovozinha", em *Veja*, 15 mar. 1989.

B, "ABCDEtc. (1)", em *O Estado de S. Paulo*, (sem data).
BALEIA, "O gesto supremo", GMN.
BALELA, "Preservação", VA.
BANANA, "Banana e abacaxi", OPOP.
BANCOS, "Autoentrevista", VT.
BAND-AID, "Torturante band-aid", BD.
BANHEIROS, "Porta de banheiro", MCLE.

BANHO, entrevista à revista *Época*, 27 out. 2012.
BAR, "O bar perfeito", MV.
BARBA, "Escanhoar-se ou não escanhoar-se", ALP.
BARBÁRIE, "O velho", VA.
BARGANHA, "Shakespeare", VA.
BATERIA, "Analogias", PZA.
BEATLES, "Roquenrol", HBV.
BEBÊS, AT.
BEISEBOL, "Palhaços", AMR; "Esportes", em *O Estado de S. Paulo*.
BELELÉU, "ABCDEtc. (1)", em *O Estado de S. Paulo*, (sem data).
BELEZA, "Mulheres bonitas", BD.
BERMUDAS, "Fobias", CLE.
BÍBLIA, "Fobias", CLE.
BIBLIOTECA, "Eu, Tarzan", PEN.
BIC, "Sem intimidades", em *O Estado de S. Paulo*, 16 fev. 2014.
BICHEIROS, "Analogias", PZA.
BICHOS, "Ed Mort vai firme", SC (edição de 1980).
BICICLETA, "Comum a Cr$ 4,79", CVPU.
BIFE, "Desolados", MV.
BIGORNA, "Os obrigados", TS.
BIOGRAFIA, "Detalhes", em *O Estado de S. Paulo*, (sem data).
BLAZER, "Do blazer azul", VA.
BOBAGENS, "Memórias", UQB.
BOEMIA, "A feira", TPA.
BOLA, apresentação em TOR.

BOLA DE GUDE, "Vivendo e...", CLE.
BONDES, "Espantando o condor", CVPU.
BOSSA NOVA, entrevista à revista *Rolling Stone*, nº 73, out. 2012.
BOXE, "A era dos centauros", TS.
BRANCA DE NEVE, "Os anos 00", em *Bundas*, nº 31, jan. 2000.
BRASIL, OPMH.
BRASÍLIA, "Diálogo das carpas", CVPU.
BUENOS AIRES, "B.A.", MV.
BUFÊ, "O 'buffet'", MV.
BUNDAS, "Bundas sazonais", em *Bundas*, nº 38, mar. 2000.
BURACO NEGRO, apresentação de MB.
BURRICE, "Deus nos livre", ORR.
BUSH, "Sexo e bombas", EDNC.
BÚZIOS, "Ciência negra", VA.

C, "Ciência", em *O Estado de S. Paulo*, (sem data).
CABECEIRAS, "Safanagem", OPOP.
CABELUDOS, "Os cabelos", em *O Globo*, 11 jun. 2014.
CALÇAS, "A invenção do milênio", em *O Estado de S. Paulo*, 2 jan. 2000.
CALOR, "Ruy Tours", MV.
CAMA, "Conselho de mãe", SC.
CAMAROTE, "Estive lá", VA.
CANALHAS, "Canalha!", CVPU.
CANDIDATOS, "Nova carta de intenções", MS.

CANDIDATURA, "Antígona", VA.
CANIBAL, "Sobre o humanismo", em *O Estado de S. Paulo*, 21 jul. 2013.
CANTADAS, "O manual sexual", ANB.
CAPANGA, EDMPS.
CAPITAL, "A primeira ereção de Adão", EDNC.
CAPITALISMO, "Eleições eletrônicas", 21 set. 2002.
CARIOCA, "O que dizer", MHC.
CARNAVAL, "Guia do Carnaval", HBV.
CARPE DIEM, "A Vida, a Morte etc.", PI.
CARTEIRA, "Tudo novo", VA.
CASAMENTO, "E o noivo estava de tênis", MCLE.
CASSAÇÕES, "Lugar comum", em *O Estado de S. Paulo*, (sem data).
CATACLISMO, "Misto-quente ou O fim do mundo", MMC.
CEGOS, "Recapitulando", em *O Globo*, 31 dez. 2015.
CELEBRIDADES, "Outra pista", VA.
CELULARES, "Os resistentes", em *O Estado de S. Paulo*, 3 maio 2012.
CENSURA, "Indecência", CVPU.
CENTROAVANTE, "A solidão do centroavante", em *O Estado de S. Paulo*, 14 jun. 2014.
CÉREBRO, "Memórias", UQB.
CETICISMO, entrevista à revista *Época*, 27 out. 2012.
CHAMINÉ, "Citações", ORR.
CHANTAGEM, "O único animal", MDP.
CHINESES, "O modelo", MB.
CHURRASCO, "O autor que é uma paixão nacional", em *Veja*, 12 mar. 2003.

CHUVEIRO, "Banheiros e elevadores", TP.
CICATRIZES, "Os centroavantes", SC.
CIDADES, "Bolos", TR.
CINEMA, "Fellini", BD.
CINISMO, "Do cinismo", PZA.
CITAÇÃO, "Citações", ORR.
CIÚMES, "Ciúmes", MMC.
CIVILIZAÇÃO, "Citações", ORR.
CLAREZA, "O gigolô das palavras", MCLE.
CLASSES, "Vergonha", CVPU.
CLÁSSICOS, citado em *IstoÉ*, edição 1737, jan. 2003.
CLÍMAX, "O manual sexual", ANB.
COBRAS, cartum em AC2.
COCHICHO, DSN.
COERÊNCIA, "Vice-versa", VA.
COLESTEROL, "Recapitulando", em *O Globo*, 31 dez. 2015.
COLETIVO, "Entre ouvidos", PI.
COLISEU, "Detalhes, detalhes", MS.
COLONIZAÇÃO, "Como seria", MB.
COLUNA, "Insônia", MS.
COMEÇOS, "Contículos", PI.
COMÉDIA, "Carlitos e carapuças", CVPU.
COMES E BEBES, "Bom, mau", OPOP.
COMETA HALLEY, cartum em AC1.
COMIDA, "O come e não engorda", MV.

COMPETIÇÃO, "Solidários na porta", OSC.
COMPLEXIDADE, "Pensar sobre pensar", BD.
COMPOSTURA, introdução em CVPU.
COMPROMISSO, "Galinha", MMC.
COMUNICAÇÃO, "Frases", SC.
CONFIANÇA, "Apelidos", TS.
CONFORTO, "Sitiados", TR.
CONSTITUIÇÃO, "Scones", EDNC.
CONTATOS IMEDIATOS, cartum em AC4.
CONVENIÊNCIA, "A guerra das versões", EDNC.
CONVERSAS, "Cachorros no Peru", OSC.
CONVÍVIO, "Obsessão", UQB.
COPACABANA, "Copacabana e Ipanema", OPOP.
COQUETÉIS, "Papo cabeça", BD.
CORAÇÃO, "Meu coração", TS.
CORAÇÃO DE MÃE, "Suflê de chuchu", CLE.
CORRETOR ORTOGRÁFICO, "Voto eletrônico", em *O Estado de S. Paulo*, (sem data).
CORRIMÃO, "Lição de higiene", VA.
CORRUPÇÃO, "Etimológicas", em *O Globo*, 30 abr. 2015.
CORRUPTORES, "Luis Fernando Verissimo, o supracitado", LFV.
CORRUPTOS, cartum em AC4.
COSTUME, "Recapitulando", em *O Globo*, 31 dez. 2015.
COURO, "A primeira", TS.
CRACHÁ, "República dos crachás", VA.

CRAQUES, "Recapitulando", TS.
CRENÇA, "O lóbi", em *O Estado de S. Paulo*, 26 maio 2013.
CRENTE, "Ainda não", EDNC.
CRIANÇAS, "Catita 2002!", EDNC.
CRIME, "Desprezo", EDNC.
CRÍQUETE, "Esportes", em *O Estado de S. Paulo*, (sem data).
CRISES, "Partos", HTC.
CUCUIAS, "ABCDEtc. (1)", em *O Estado de S. Paulo*, (sem data).
CUECA, "Sintonia fina", EDNC.
CULINÁRIA, "Receitas", MV.
CULPAS, "Asas de borboleta", EDNC.
CURIOSIDADE, "Mocinhos e bandidos", EDNC.

DARWIN, "Eva", SC.
DECEPÇÃO, "Sinais mortíferos", BD.
DEFUNTO, "Os bolsos do morto", DI.
DEMOCRACIA, "Sinuca", EDNC.
DESCOBRIMENTO, "Tu e eu", CVP.
DESCONTOS, "Os homens que consertam", em *Jornal do Brasil*, 1977.
DESCRENÇA, "O Deus das campanhas", EDNC.
DESEJO, EDMPS.
DESENHOS, cartum em AC3.
DESGASTE, "Os obrigados", TS.
DESLUMBRAMENTO, "Deslumbrados", CVPU.
DESODORANTE, "A mulher", OSC.

DESORGANIZAÇÃO, MMH.
DESPERDÍCIO, "Melhores", BD.
DÉSPOTAS, "O terrível voto", CVPU.
DESTINO, "Mensagem", VA.
DETALHE, "Detalhes, detalhes", em O Globo, 28 set. 2014.
DEUS, "O pacto", MS.
DEVASSO, entrevista à revista Oi, abr. 2003.
DIÁLOGO, "Ovo frito", OSC.
DICIONÁRIO, "Um alerta à nação", HTC.
DIETA, "Martírio", AB.
DINHEIRO, "Entre ouvidos", PI.
DINOSSAURO, cartum em AC4.
DIPLOMATAS, "Bárbaros", OSC.
DIRETORES, "Impostores", BD.
DISTRAÇÃO, entrevista ao jornal O Globo, 5 out. 2015.
DITADORES, "Síndrome", CVPU.
DIVÓRCIO, "Coexistência", CBV.
DOCES, "Este ano vai ser diferente!", ORG.
DOENÇA, "Almas gêmeas", PI.
DRIBLES, "Robinho e o paradoxo", TS.
DRINQUES, "A CIA contra Castro", AB.
DROGAS, "Entrevista com o analista de Bagé", ANB.
DUBLAGEM, "O lançamento da torre de babel", ORR.

E, "ABCDEtc. (1)", em O Estado de S. Paulo, (sem data).

E-BOOKS, discurso de abertura da 10ª Flip, 4 jul. 2012.
ECONOMIA, "A moda", CVPU.
EDUCAÇÃO SEXUAL, "Sexo, sexo, sexo", AV.
ELEFANTES, "Elefantes", CVPU.
ELEIÇÕES, "O terrível voto", CVPU.
ELEITORADO, "O terrível voto" e "Votando e aprendendo", CVPU.
ELIS, entrevista à revista *Rolling Stones*, nº 73, out. 2012.
ELITES, "Entre ouvidos", PI.
ELIZETE CARDOSO, "Presságio", CVPU.
ENGARRAFAMENTO, "Engarrafamento", AB.
ENÓLOGOS, "Vinhos", MV.
ENTREVISTA, entrevista ao jornal *Correio Braziliense*, 18 jul. 2013.
EPIFANIA, "Vice-versa", PZA.
EPITÁFIO, "A Vida, a Morte etc.", PI.
EREÇÃO, "Geração", TPA.
ERICO VERISSIMO, entrevista à revista *Época*, 27 out. 2012.
ERRATAS, "Ed Mort vai à forra", GP.
ESCANTEIO, "Sexo e futebol", TS.
ESCARGOT, "O único animal", MDP.
ESCOLA DE SAMBA, "Guia do Carnaval", HBV.
ESCOLHAS, "Fizemos bem", em *O Estado de S. Paulo*, (sem data).
ESCREVER, "A carta do Fuás 1", em *O Estado de S. Paulo*, (sem data).
ESCRÚPULO, "Coerência", VA.
ESDRÚXULO, "ABC", CLE.
ESGUEIRAR-SE, "Terrinas", MV.

ESPANHA, "A arena vazia", CVPU.
ESPANTO, "ABCDEtc. (1)", em *O Estado de S. Paulo*, (sem data).
ESPÉCIE, "Banalidades", PI.
ESPELHO, "Espelhos", MHC.
ESPORTE, cartum em AC4.
ESPREGUIÇADEIRA, "Delta", NCVP.
ESQUERDA, "Diferenças", VA.
ESQUINA, "Último informe da Rue Greneta", TP.
ESTAÇÕES, "Víamos os nossos pés", ALP.
ESTÁTUAS, "Estátuas", DI.
ESTILO, OE.
ESTRELAS, "O feitiço da vila", BD.
ESTUPIDEZ, TM, cap. "Cinco".
ETERNIDADE, "Autoentrevista", VT.
ETIQUETA, "Regras", MV.
EUA, "Mal-entendidos", MB.
EUROPA, "Enxurrada", MV.
EXAGEROS, "O eterno retorno", MB.
EXCÊNTRICO, EDM.
EXEMPLO, "Sozinhos", CLE.
EXIBIDOS, "Da timidez", CLE.
EXPECTATIVA, cartum em AC4.
EXPERIÊNCIA, "Revelações", CVPU.
EXPLICAÇÕES, "Figurantes", VA.
EXPRESSÕES, entrevista ao *Jornal do Brasil*, (sem data).

EXTENSÃO TERRITORIAL, "O continente e a paróquia", VA.
EXTRATERRENOS, "Cartões-postais", VA.
EXTREMOS, "Conversões", em O Globo, 1º mar. 2007.

FALATÓRIO, "Prolixos", TR.
FALCATRUAS, "Vergonha", CVPU.
FALSIFICAÇÃO, "Igualzinha, igualzinha", MMC.
FAMA, "O analista de Bagé", ANB.
FAMÍLIA, "Vizinhos", CBV.
FASCINAÇÃO, "Durango Kid", BD.
FÉ, "Autoentrevista", VT.
FELICIDADE, "Obsessão", UQB.
FELLINI, "Fellini", BD.
FÉRIAS, "Férias", CVP.
FERIDAS, "Rodrigo", MMC.
FESTA, "Festa de aniversário", ORG.
FHC, "Incluídos e vespas", VA.
FICÇÃO, entrevista ao jornal O Globo, 5 out. 2015.
FILHOS, AMH.
FILMES, "Melhores", BD.
FILOSOFIA, "Recapitulando", em O Globo, 31 dez. 2015.
FLORENÇA, "Cinque Bob Cheese", TR.
FLORES, "Gravações", CVP.
FOGO, "Contemplando o fogo", MB.
FOME, "Liberdades", ALP.

FONDUE, "O exemplo", CVPU.
FORMIGA, "A Vida, a Morte etc.", PI.
FRAGRÂNCIA, "Manifesto sexual", MS.
FRALDAS, "Filhos", em *O Estado de S. Paulo*, (sem data).
FRANCESES, "Desolados", MV.
FRANQUEZA, "Claudia!", VA.
FRASES, "Deslumbrados", CVPU.
FRESCURA, "Frescuras", TS.
FREUD, "That's it", BD.
FRIEZA, "Blefes", VA.
FRIO, "Edward Hopper", VA.
FRUTA, abertura de SC.
FRUTO PROIBIDO, "A maçã", MV.
FÚRIA, "Dora Avante barrada", MS.
FUTEBOL, "Infantilidades", TS.
   ARGENTINO, "Recapitulando", TS.
   BELGA, "Los noruegos", AMR.
   ESPANHOL, "A solidão do centroavante", em *O Estado de S. Paulo*, 14 jun. 2014.
   INGLÊS, "Olympique", TP.
   IRLANDÊS, "Los noruegos", AMR.
FUTURO, "Shi", TJ.

GALANTEIO, "Citações", ORR.
GALINHA, "A galinha apocalíptica", MS.

GANÂNCIA, CDA.
GARÇONS, "A gorjeta é livre", MV.
GARRAFA TÉRMICA, "Boato", THAB.
GARRINCHA, "O pássaro", CVPU.
GASTRONOMIA, "Gourmandices", NCVP.
GAÚCHOS, MMH.
GENEALOGIA, "Prestígio", CVPU.
GENERAIS, "Abacate", CVPU.
GENERALIZAÇÕES, "Mulheres", SC.
GENTILEZA, "Recapitulando", TS.
GERAÇÕES, "Botafogo", PZA.
GERALDINOS, IAP.
GIGOLÔ, "O gigolô das palavras", MCLE.
GOL, "Sedução", em *O Globo*, 29 set. 2013.
GORDOS, "Bom, mau", OPOP.
GORDURA, cartum em AC1.
GORJETA, "A gorjeta é livre", MV.
GOURMET, "Receitas", MV.
GRAFITES, "Grafitos", TNY.
GRAMÁTICA, "O gigolô das palavras", MCLE.
GRANDEZA, "Megalos", TP.
GRENAL, entrevista à revista *IHU Online*, 2008.
GUERRA NUCLEAR, "A batalha", CVPU.
GUERRAS, "Começar de novo", MB.
GUITARRA, "Roquenrol", HBV.
GUNGA DIN, "Cinema", CVPU.

HAMLET, "As grandes questões", VA.
HEMINGWAY, "Mailer e Marilyn", BD.
HENFIL, entrevista ao site *Zero Hora*, 5 out. 2015.
HEREDITÁRIO, "O traidor", VA.
HERÓI, "Recapitulando", TS.
HIGIENE, "Manifesto sexual", MS.
HINOS, "Alonsanfã", no *O Estado de S. Paulo*, 16 jun. 2014.
HIPOCRISIA, "A arte de roubar", CVPU.
HIROSHIMA, "Bombas", CVPU.
HISTÓRIA, "Túneis", OPOP.
HISTÓRIA DO BRASIL, "Uma teoria para a Tiazinha", EDNC.
HITCHCOCK, "Começos", BD.
HITLER, "O mistério dos Donizetis", PZA.
HIV, "Onde estamos?", MB.
HOLANDA, "Os holandeses", CVPU.
HOLLYWOOD, "Durango Kid", BD.
HONESTIDADE, em *Bundas*, nº 6, 19 set. 2000.
HONRA, "Gordos e magros", CVPU.
HORMÔNIOS, "Vocações", HBV.
HORÓSCOPO, entrevista ao *Jornal do Brasil*, (sem data).
HOSPÍCIO, "Liberdades", ALP.
HOSPITAIS, "Máximas urbanas", GMN.
HOTEL, "San", TJ.
HUMANIDADE, "As grandes questões", VA.
HUMOR, entrevista ao jornal *O Globo*, 19 out. 2012.
HUMORISTAS, "Parábolas improcedentes", VA.

ICEBERG, "Icebergs", PZA.
IDEOLOGIAS, "Sintonia fina", EDNC.
IDIOMAS, "O que fazer", AMR.
IGUALDADE, "Realismo", ZOE.
IMAGINAÇÃO, discurso de abertura da 10ª Flip, 4 jul. 2012.
IMPERADORES, "Regimes", OSC.
IMPOSSÍVEL, "Os seios da Martine Carol", PZA.
IMPOSTOS, "Manifesto sexual", MS.
IMPRENSA, CST.
IMPREVISÍVEL, "Com meus botões", CVPU.
IMPROVISO, abertura de "Coquetel de gênios", BD; "Bird", em OSC.
IMPUNIDADE, "Risco zero", VA.
INCONFIDÊNCIA, "Sexo e bombas", EDNC.
INDEPENDÊNCIA, "Os donos do seu nariz", ORR.
INDICADOR, "Cheio de dedos", VT.
INDIGNAÇÃO, "Este ano vai ser diferente!", ORG.
INDÚSTRIAS, "Segregados", AMR.
INFÂNCIA, "Cinema", CVPU.
INFERIORIDADE, "Da timidez", CLE.
INFERNO, "Férias", CVP.
INFINITO, "O anjo", PI.
INFLAÇÃO, OPMH.
INFLÁVEL, "O único animal", MDP.
INFLUÊNCIAS, cartum em AC3.
INFORMAÇÃO, "Lembrança", MV.

INFORMALIDADE, "Gaúchos e cariocas", CVP.
INGENUIDADE, "Conspiração", VA.
INGLATERRA, "Em Londres", MV.
INICIATIVA, conto "Lo", UQB.
INIMIGOS, "Inimigos", NCVP.
INJEÇÃO LETAL, "Boca aberta", VA.
INSEGURANÇA, "Hinos", MF.
INSIGNIFICÂNCIA, "As grandes questões", VA.
INSÔNIA, "Professor Pelé", BD.
INSPIRAÇÃO, EPCB.
INSULTOS, "Amor de homem", TP.
INTELECTUAIS, "Feiticeiros ou bobos", EDNC.
INTERIOR, "Insônia", MS.
INTERNACIONAL, IAP.
INTERNET, "Lugar comum", em *O Estado de S. Paulo*, (sem data).
INTERPRETAÇÃO, "Citações", ORR.
INTRIGA, "Intriga", VA.
INVENÇÕES, "A invenção do milênio", em *O Estado de S. Paulo*, 2000.
INVENTÁRIO, "Detalhes, detalhes", em *O Globo*, 28 set. 2014.
INVESTIMENTO, "O que você deve saber", CVPU.
INVISÍVEL, abertura de PHD.
IOGURTE, "Os crus e os podres", VA.
IRONIA, entrevista ao jornal *Zero Hora*, 5 out. 2015.
ISMOS, "Deus nos livre", ORR.
ITÁLIA, "Mulheres", SC.

ITALIANOS, "Bolos", TR.
ITAMAR FRANCO, "O jeitão", VA.

JAMES DEAN, "Revisões", BD.
JAMES STEWART, "Caras", VA.
JAYNE MANSFIELD, "Onde estamos?", em O Globo, 18 jul. 2002.
JAZZ, CST.
JEANS, "Ed Mort vai firme", SC.
JEITINHO, "Vergonha", CVPU.
JEJUM, "Breakfast", AMR.
JIU-JÍTSU, "Esportes", em O Estado de S. Paulo, (sem data).
JOÃO NINGUÉM, EDM.
JORNAL, citado na revista Comunicação & Política, vol. 26.
JUIZ, IAP.
JUVENTUDE, "Turmas", OANB.

K, "ABCDEtc. (2)", em O Estado de S. Paulo, (sem data).
KAFKA, "Grande irmão", BD.
KUBRICK, "Kubrick", PZA.
KUROSAWA, "Os travellings do Kurosawa", PZA.

LABIRINTO, "Labirintos", OSC.
LABORATÓRIOS, "Futuro", OSC.
LAMENTO, "Fizemos bem", em O Estado de S. Paulo, (sem data).
LANÇA-PERFUME, "Lança", em O Estado de S. Paulo, (sem data).

LAR, "O fim", em *O Globo*, 25 set. 2014.
LEBLON, "O coração do Brasil", MV.
LEGUMES, "Sexo, sexo, sexo", AV.
LEIS, "Duas festas", VA.
LER, "Livro", CVPU.
LEVITAÇÃO, "O verdadeiro você", MHC.
LIBERAL, "O sentido shakespeareano", em *Bundas*, nº32, jan. 2000.
LIBERDADE, "Liberdades", ALP.
LIBERDADE DE IMPRENSA, "Entre ouvidos", PI.
LICOR DE OVOS, "De ressaca", MV.
LÍDERES, "Anedotas", CLE.
LIMITES, "O ponto de ruptura", PZA.
LÍNGUA, entrevista a Luiz Costa Pereira Jr. do UOL, out. 2005.
    ALEMÃO, "Citações", ORR.
    ITALIANO, "Prolixos", TR.
    FRANCÊS, "As terrinas de Paris", MV.
LINGUAGEM, "Grande irmão", BD.
LITERATURA, discurso de abertura da 10ª Flip, 4 jul. 2012.
LITTLE ITALY, "Delicadezas", TNY.
LIVRARIAS, "Escarafunchadores", PZA.
LIVROS, "Intelectuais (I)", VA.
LÓGICA, "O técnico", TS.
LOLITA, "Lolita", PZA.
LONDRES, "Fizemos bem", em *O Estado de S. Paulo*, (sem data).
LOUCO, "A hora do Louco", CVPU.

LOUVRE, apresentação em TP.
LUA, "Agendas", HBV.
LUCIA, "O autor que é uma paixão nacional", em *Veja*, 12 mar. 2003.
LUCROS, "O nome errado", EDNC.
LUGAR-COMUM, "O homem do século", EDNC.
LUTO, DSN.
LUXEMBURGO, "Cenas do futuro 2", ORR.

MAÇÃ, "A maçã", MV.
MACACOS, "A mulher", OSC.
MACHISMO, "Outra do analista de Bagé", OANB.
MADRI, "Traçando Madrid", capítulo "Quatro".
MADUROS, "Sexo, sexo, sexo", AV.
MÃES, "O dia da amante", CVP.
MÁFIA, "Censura", TNY.
MÁGICOS, "O mágico", GMN.
MAGROS, "Bom, mau", OPOP.
MAÎTRE, "A gorjeta é livre", MV.
MALEDICÊNCIAS, "Outra do analista de Bagé", OANB.
MAMILOS, "Ai!", CVPU.
MANAUS, OP.
MÃOS, "Cheio de dedos", VT.
MAR, "Aquática", NCVP.
MAR VERMELHO, "Relações públicas", ORR.
MARACANAZO, "A segunda mensagem", PZA.

MARADONA, "O dia em que Diego Maradona enganou os computadores na Copa dos paradoxos", em *Playboy*, ago. 1986.
MARIDO, "Conselho de mãe", SC.
MARLON BRANDO, "Revisões", BD.
MARTINE CAROL, "Os seios da Martine Carol", PZA.
MASOQUISTAS, poema "Por exemplo", em *O Estado de S. Paulo*, (sem data).
MATE, "Pelego", THAB.
MECÂNICA, "Outono", TNY.
MEDALHAS, "Menos medalhas!", em *O Globo*, 29 set. 2000.
MEDO, "Reencarnação", revista *Domingo* do *Jornal do Brasil*, 1982.
MEIA-IDADE, "Espelhos", MHC.
MEIAS, "Sala de espera", OSC.
MEIO-CAMPO, "A era dos centauros", TS.
MEIOS DE COMUNICAÇÃO, "Ar e chumbo", em *O Estado de S. Paulo*, (sem data).
MEL, "Durango Kid", BD.
MEMÓRIA, "Detalhes", VA.
MENORES, "Os porteiros", em *O Globo*, 17 abr. 2011.
MENTE ABERTA, "Francamente", em *Veja*, 22 mar. 1989.
MENTIRAS, apresentação de MMC.
MESA-REDONDA, "A Vida, a Morte etc.", PI.
METEOROLOGIA, "O clima é a mensagem", AB.
MÉXICO, "México", VA.
MICHELANGELO, "Força", TR.
MILES DAVIS, "Garoto de ouro", BD.

MILHÕES, "Onde parar", em *O Globo*, 5 jul. 2009.
MILLÔR, apresentação de TC.
MINDINHO, "Cheio de dedos", VT.
MINUTINHO, "Minutas", NCVP.
MINUTO DE SILÊNCIO, cartum em AC3.
MISÉRIA, "O presidente tem razão", EDNC.
MISS UNIVERSO, crônica "Evolução", VA.
MISTÉRIO, CDA.
MISTO-QUENTE, "Misto-quente ou O fim do mundo", MMC.
MIÚDOS, "Nojo seletivo", VA.
MOCHILEIRO, "Mochileiros", TR.
MODOS, "Ainda não", EDNC.
MOEDA, "A volta de Dora Avante", MS.
MONA LISA, "Se a vida imitasse a arte", SC.
MONARQUIA, "Regimes", OSC.
MONOTONIA, "Entre ouvidos", MS.
MONTANHAS, "Guerrilha", AB.
MORALISMO, "Dois que se prezam", CVPU.
MORTALIDADE, "Os obrigados", TS.
MORTE, cartum em AC4.
MOSCA, "Torturas", TP.
MOVIMENTO, entrevista à Globonews, 2015.
MUDANÇAS, entrevista à revista *IHU*, 9 mar. 2010.
MUHAMMAD ALI, "O fim de Ali", CVPU.
MULHERES, "O mistério", CBV.

MUSA, "Dora Avante barrada", MS.
MÚSICA, "Borges e Benny", OSC.
MÚSICA POPULAR BRASILEIRA, "Pagode", ORG.
MUXOXO, "Colo arfante", VA.

NADO BORBOLETA, "Olímpicos", MCLE.
NAMORAR, "Doce aflição", TPA.
NAPOLITANA, "O vermelho e o branco", TR.
NARCISISMO, "Pretensão", TP.
NARIZ, "Reconstituição", VA.
NARRAÇÃO, IAP.
NASCIMENTO, "Autoentrevista", VT.
NATAL, "A verdadeira lição do Natal", em *Bundas*, nº 28, dez. 1999.
NATUREZA, "Reminiscências (II)", VA.
NAVEGAÇÃO, "O jargão", CLE.
NEGAÇÃO, "A lâmpada mágica", OANB.
NEOLIBERALISMO, "Sabotagem", VA.
NETOS, "A cordilheira", em *O Globo*, 3 dez. 2015.
NIRVANA, PHD.
NOBREZA, "Orfeu novo", VA.
NOIVADO, "Grunhido eletrônico", em *O Estado de S. Paulo*, (sem data).
NORMAN MAILER, "Mailer e Marilyn", BD.
NORUEGA, "Mulheres", SC.
NOSTALGIA, "Sem volta", CVPU.
NOTÍCIAS, "Liberdade de imprensa", CVPU.

NOTORIEDADE, "Da timidez", CLE.
NOVA ORLEANS, "Sem destino", OPOP.
NOVA YORK, "Steinberg, Saul", BD.
NOVELA, "Homem que é Homem", MHC.
NUDISMO, "Nudismo", HBV.

OBA, "Guia do Carnaval", HBV.
OBAMA, "Em Cuba", em *O Globo*, 24 mar. 2016.
OBJETIVIDADE, "Independência", TNY.
OBRA-PRIMA, "Durango Kid", BD.
OBRIGAÇÃO, editorial de *Bundas*, nº 73, nov. 2000.
OBSESSÕES, "Megalos", TP.
OBSOLESCÊNCIA, "Missão cumprida", VA.
ODISSEIA, "Metamorfose", em *O Globo*, 17 jan. 2016.
OFENSA, "Contracapa", MS.
OFF, "O 'Ófi'", CVPU.
OFÍCIO, entrevista à revista *Época*, 27 out. 2012.
OLHOS, "Fomes", MV.
OLIGARQUIA, "Deferência", VA.
OLIMPÍADAS, "Esportes", em *O Estado de S. Paulo*, (sem data).
OMELETE, "Neo-stalinismo", MB.
ONANISMO, "O dia da amante", ANB.
ONIPOTÊNCIA, "Silogismos", AB.
ONTOLOGIA, "O outro", CBV.
OPINIÃO, CST.

ORÇAMENTO, "As terrinas de Paris", MV.
ORDEM, "República dos crachás", VA.
ORGANIZAÇÃO, "Sexo e futebol", SC.
ÓRGÃO SEXUAL, "O manual sexual", ANB.
ORGASMO, "O mistério", CBV.
ORGASMO FEMININO, "O manual sexual", ANB.
ORGIA, "Orgias", ORG.
ORIENTAÇÕES, "Labirintos", OSC.
ORIGINALIDADE, "Opinião", OPOP.
OTIMISTA, "Todo mal", em *Veja*, 1987; citada em LFV.
OURO, "Menos medalhas!", em *O Globo*, 29 set. 2000.
OUTONO, "Víamos os nossos pés", ALP.
OUTRO, "Pacote", CBV.
OUTROSSIM, "Certas palavras", VA.
OUVIR, entrevista a Globonews, 2015.
OXIGÊNIO, "Noites do Bogart", CVP.

PACIÊNCIA, "Exemplo moral", PZA.
PACTOS, "Siglas", ZOE.
PAELLA, "Memórias paladares", MV.
PAIS, "Filhos", em *O Estado de S. Paulo*, (sem data).
PAISAGEM, "O coração do Brasil", MV.
PALADINOS, "A diferença", DI.
PALAVRA, "Poesia", PI.
PALAVRÃO, IAP.

PALETÓ, "E la nave va", MDP.
PALPITES, introdução a CVPU.
PANCADA, CST.
PAPEL HIGIÊNICO, "Frases venenosas", em *O Estado de S. Paulo*, (sem data).
PARÁBOLAS, "Labirintos", OSC.
PARANOIA, CST.
PARIS, "Exilados", DI.
PARLAMENTARISMO, cartum em AC3.
PARREIRA, "Consolo", PZA.
PARTIDOS, cartum em PI.
PARTILHA, apresentação de TP.
PASSADO, "Deixa pra lá", EDNC.
PÁSSAROS, "Pássaros", NCVP.
PASSATEMPO, "As grandes questões", VA.
PASTEL, "Pastel de beira de estrada", MV.
PATIFARIAS, "Tempo de patifes", CVPU.
PATRICIA PILLAR, "O fim", em *O Globo*, 25 set. 2014.
PATRIOTISMO, "Algo no ar", CVPU.
PATROCÍNIO, "Entre ouvidos", PI.
PAULISTAS, "O vermelho e o branco", TR.
PAZES, "Namorados", HBV.
PC FARIAS, "Um alerta à nação", HTC.
PECADO, "A carta do Fuás 1", em *O Estado de S. Paulo*, (sem data).
PEDESTAL, "Este ano vai ser diferente!", ORG.
PEIXES, "Safenado", OSC.

PELADA, "Futebol de rua", ORR.
PELE, "Mulheres", SC.
PELÉ, "Percepção", em *O Globo*, 16 mar. 2008.
PENA DE MORTE, "O Estado passional" & "Crime e castigo", CVPU.
PÊNALTI, cartum em AC3.
PENSADORES, "Hereges", EDNC.
PENSAR, "Bom, mau", OPOP.
PERDÃO, "O anticarnê", GMN.
PERMANÊNCIA, "Novos heróis", OANB.
PERMISSÃO, "O elefante", VA.
PERSONALIDADE, "Reminiscências (II)", VA.
PERUA, "A visita do anjo", EDMOH.
PÉS, "A mulher e os pés", em *O Estado de S. Paulo*, (sem data).
PESSIMISMO, cartum em AC4.
PIADA, "Paixões", NCVP.
PICASSO, "Preabsolvição", PZA.
PIZZA, "O Fortuna", MV.
PLANETA, "Nosso espaço", MB.
PLÁSTICA, "Caras novas", AB.
PMDB, "Ao social", VA.
POESIA, "Amor", em *O Estado de S. Paulo*, 25 jul. 1999.
POETA, prefácio de *Pirâmide noturna*, de Luiz Coronel, citado em LFV.
POIS É, "Pá, pá, pá", CLE.
POLEGAR, "Coluna", VA.
POLITICAMENTE CORRETO, "Peixe na cama", MB.

POLÍTICOS, "Figurantes", VA.
POLO, "Relações públicas", ORR.
POLO AQUÁTICO, "Esportes", em *O Estado de S. Paulo*, (sem data).
POLTRONA, "Recapitulando", em *O Globo*, 31 dez. 2015.
PONTO FINAL, "Onde parar", em *O Globo*, 5 jul. 2009.
PONTO G, "O manual sexual", ANB.
PÔQUER, "Blefes", MHC.
PORTA ABERTA, "Solidários na porta", OSC.
PORTAS, "Radical", NCVP.
PORTEIROS, "Os porteiros", em *O Globo*, 17 abr. 2011.
PORTO ALEGRE, "Uma princesa", GMN.
PÓS-MODERNIDADE, "Onde estamos?", MB.
POSTERIDADE, "Escândalos", VA.
POTÊNCIA, "Nova nova Roma", MB.
PRAIA, "Os que ficam", TPA.
PRATICAMENTE, "Assadores", em *O Estado de S. Paulo*, (sem data).
PRAZER, entrevista à revista *Rolling Stones*, nº 73, out. 2012.
PRECISÃO, "Os foguetes do presidente", EDNC.
PREDADORES, "Fomes", MV.
PREFÁCIO, abertura de cartum em AC2.
PREFERÊNCIAS, "Craques", VA.
PREGUIÇA, "Todo mal", em *Veja*, 1987; citado em LFV.
PRESENÇA, introdução a CVPU.
PRESIDENTES, "Reis e reis", MB.
PRESSA, "Coluna", VA.

PRETENSÃO, entrevista em *Autores gaúchos: LFV*; citada em LFV.
PREVIDÊNCIA, entrevista à revista *Época*, 27 out. 2012.
PREVISÕES, "O que vem aí", PZA.
PRIMAS, "Melhores", BD.
PRIMEIRA VEZ, "Os porteiros", em *O Globo*, 17 abr. 2011.
PRÍNCIPE, "Bernardo, Bernardo", CVPU.
PRIVADO, poema "O único animal", PHD.
PRIVILÉGIOS, "A natureza do homem", VA.
PROBLEMA, "Robinho e o paradoxo", TS.
PROCESSO CRIATIVO, "Escrevo o que penso", em *Humor & outras histórias*, citado em LFV.
PROFESSOR, "Professor Pelé", BD.
PROFISSÕES, "O clima é a mensagem", AB.
PROFUNDEZAS, abertura de SC.
PROPAGANDA, "A frase", CVP.
PROPINAS, "Diálogo das pombas", em *O Estado de S. Paulo*, (sem data).
PROVÉRBIOS, "Longe", EDNC.
PRUDÊNCIA, "Raízes", THAB.
PT, "Ao social", VA.
PUDIM, "Recapitulando", em *O Globo*, 31 dez. 2015.

Q, "ABC", CLE.
QUADRINHOS, "Bandidos", MCLE.
QUADRO, AT.
QUARENTÃO, "Espelhos", MHC.

QUARESMA, "Guia do Carnaval", HBV.
QUARTA DE CINZAS, "O primeiro dia", CBV.
QUARTÉIS, "O diferente", VA.
QUARTERBACK, "Jogo secreto", em O Globo, 11 fev. 2016.
QUASE, entrevista no blog SPleituras.org.br, 23 nov. 2013.
QUEDA, "A cena do Sena", OSC.
QUEIXAS, "Liberdades", ALP.
QUENTE, "Palavreado", CLE.
QUIETO, "Eu fora", em O Globo, 25 fev. 2002.

RACIOCÍNIO, "O aniversariante", ALP.
RÁDIO, "Mau treino", PZA.
RATO, "Ratos", SC.
RAZÃO, "Ainda não", EDNC.
REAL, "Homenzinho verde", VA.
RECEITAS, "Receitas", VM.
RECORDAR, BOE.
REENCARNAÇÃO, "Metamorfose", em O Globo, 17 jan. 2016.
REFEIÇÕES, "A Vida, a Morte etc.", PI.
REJEIÇÃO, "Recapitulando", em O Globo, 31 dez. 2015.
RELIGIÃO, "Talento", PZA.
RELÓGIO, "Coordenadas", VA.
REMORSO, CDA.
RENASCENÇA, "Mal-entendidos", MB.
REPERCUSSÃO, depoimento em CLB.

REPRODUÇÃO, "Sexo, sexo, sexo", AV.
REPÚBLICA, "Regimes", OSC.
REPUTAÇÕES, "Detalhes", em *O Estado de S. Paulo*, (sem data).
RESOLUÇÕES, "Check-up", MHC.
RESPOSTAS, "As grandes questões", VA.
RESSACA, "De ressaca", MV.
RESTAURANTE, "Trastevere", TR.
RESUMO, "Formigas vagabundas", em *O Globo*, 11 out. 2015.
RETICÊNCIAS, "ABCDEtc. (1)", em *O Estado de S. Paulo*, (sem data).
RÉVEILLON, "Coordenadas", VA.
REVELAÇÃO, "O verdadeiro você", MHC.
REVERÊNCIA, prefácio de GFB.
REVISORES, "Desmascaramento", OPOP.
REVOLUÇÃO SEXUAL, abertura de MHC.
RIDÍCULO, "Manifesto sexual", MS.
RIO DE JANEIRO, "O coração do Brasil", MV.
ROBÔS, "Futuro", OSC.
ROCK, "Ponto final", TNY.
RODAPÉ, "As prostitutas de Atenas", HTC.
ROLLING STONES, "Roquenrol", HBV.
ROMA, apresentação de TR.
RONALDO, epígrafe em GFB.
RUBEM BRAGA, entrevista ao jornal *Tribuna do Norte*, 11 nov. 2012.

SÁBADO, "Taxiando", TPA.

SABIÁ, "A cordilheira", em *O Globo*, 3 dez. 2015.
SAL, "Turmas", OANB.
SALTO COM VARA, "Esportes", em *O Estado de S. Paulo*, (sem data).
SALVADORES DA PÁTRIA, "A verdadeira lição do Natal", em *Bundas*, nº 28, dez. 1999.
SAMBA, "Safanagem", OPOP.
SAMBA-ENREDO, "O fim do agogô", CVPU.
SAMURAI, "Começos", BD.
SAN FRANCISCO, "O que fazer", AMR.
SANTO, "Casa de pobre", EDNC.
SAPO, poema "O único animal", PHD.
SATURNO, "Crise", ORG.
SAÚDE, "Este ano vai ser diferente!", ORG.
SAXOFONE, "Os indecisos", CVPU.
SÉCULO XX, "Oniricídio", EDNC e EDMPS.
SEGREDO, "Rosamaria", NCVP.
SEGUNDA-FEIRA, "Remorso", ORG.
SEGUNDA GUERRA, "Ar e chumbo", em *O Estado de S. Paulo*, (sem data).
SEIO, "Cinema", CVPU.
SELFIE, "Reflexões", OSC.
SELO, "Máximas urbanas", GMN.
SENSUALIDADE, AMH.
SENTIMENTOS, "Helás", em *O Estado de S. Paulo*, 19 set. 2013.
SEPARAÇÃO, "117 maneiras de o amor acabar", CBV.
SER SUPERIOR, "As grandes questões", VA.

SETE A UM, "Os seis minutos", em *O Estado de S. Paulo*, 10 jul. 2014.
SEXO, "Sexo, sexo, sexo", AV.
SEXO FRÁGIL, "O dia da amante", ANB.
SEXO ORAL, "O manual sexual", ANB.
SEXY, "Ed Mort volta atrás", SC.
SIGILO, "Recapitulando", em *O Globo*, 31 dez. 2015.
SIGLAS, "Siglas", AB.
SIGNIFICADOS, "Certas palavras", VA.
SILÊNCIO, "No elevador", VA.
SÍLFIDE, "Pudor", CLE.
SIMPATIA, "Simpatia", TR.
SINAL VERMELHO, "Datas, datas", EDMOH.
SINCERIDADE, entrevista ao jornal *O Globo*, 5 out. 2015.
SINUCA, "A volta de Ed Mort", MS.
SOCIABILIDADE, entrevista à revista *Época*, 27 out. 2012.
SOCIALISMO, "Autoentrevista", VT.
SOLIDÃO, cartum em AC3.
SOM, "Datas", CBV.
SONO, "O sono", HBV.
SOPA, "Às sopas", MV.
SORRISO, "A volta de Ed Mort", MS.
SORVETE, "O inventor de sabores", MV.
SOVINA, "O verdadeiro George Clooney", ALP.
SUBDESENVOLVIDOS, cartum em AC3.
SUBVERSIVO, "O i-mencionável", em *O Globo*, 10 jan. 2016.

SUCESSO, "Secretárias", VA.
SUÍÇA, "O exemplo", CVPU.
SUICIDAS, "O suicida e o computador", OSC.
SUICÍDIO, "Nava", MF.
SUPER-HOMEM, "Aleluia", ORG.
SUPERMERCADO, "Sem pensar", CVPU.
SUPERPODERES, "Novos heróis", OANB.
SUPERSTIÇÕES, "Ano-Novo", ORG.
SUTIÃ, "Retardatário", NCVP.

TABLETS, entrevista à revista *Época*, 27 out. 2012.
TANCREDO, "O instante", VA.
TARADO, "Ainda não", EDNC.
TARANTINO, "Pulp", BD.
TARAS, "Sexo, sexo, sexo", AV.
TAXISTAS, "A solução", MF.
TECNOLOGIA, "O despertador", AMR.
TELÊ SANTANA, "Consolo", PZA.
TELEFONE, "Os resistentes", em *O Estado de S. Paulo*, 3 maio 2012.
TEMPO, cartum em AC3.
TEORIAS DA CONSPIRAÇÃO, "Teorias conspiratórias", em *Bundas*, nº 58, jul. 2000.
TERRA, cartum em AC4.
TERROR, "Interação", BD.
TERRORISMO, "As torres do Morandi", BD.
TESÃO, "Entrevista com o analista de Bagé", ANB.

TESES, "Inhos (I)", VA.
TESOURO, "Quem manda", em *Bundas*, nº 6, jul. 1999.
TEXTO PUBLICITÁRIO, "A frase", AB.
TEXTOS NATALINOS, "Natal", em *O Estado de S. Paulo*, (sem data).
TIMES, cartum em AC4.
TIMIDEZ, "Da timidez", CLE.
TIRANOS, "Liberdades", ALP.
TITANIC, "Realismo mágico", BD.
TOLERÂNCIA, "No calcanhar", VA.
TORCEDOR, prefácio de GFB.
TORRE EIFFEL, "O verdadeiro George Clooney", ALP.
TRADIÇÃO, "Ano-Novo", ORG.
TRADUTORES, "Virando anedota", em *O Globo*, 22 abr. 2012.
TRÂNSITO, "Solidários na porta", OSC.
TRAPÉZIO, "Trapezista", MHC.
TRAVESSEIRO, "Esportes", em *O Estado de S. Paulo*, (sem data).
TRICAMPEONATO, "Recapitulando", TS.
TRIUNFO, IAP.
TROCA DE CASAIS, AMH.
TRUMAN CAPOTE, "Autores atores", BD.
TUBARÃO, "Enquete", TP2.
TÚNEL, apresentação de OBH.
TURISMO, "Grutas", TR.
TURISTA, "O deslumbrado", MV.
TWIST, "Santa Terezinha", NCVP.

UFC, "Saudade do Ted Boy Marino", em *O Globo*, 26 jan. 2012.
UÍSQUE, "De ressaca", MV.
ÚLTIMAS PALAVRAS, conclusão de CST.
UNHAS, "Coluna", VA.
UNIVERSO, cartum em AC3.

V, "ABC", CLE.
VAGINA, "O manual sexual", ANB.
VAIDADE, "Reflexões", OSC.
VANTAGEM, "Grunhido eletrônico", SC.
VARIAÇÕES, "Os anônimos", BD.
VATICANO, "Poder", EDNC.
VEGETARIANO, "O gesto supremo", GMN.
VELHICE, "A diferença", DI.
VELÓRIO, "Zagallo e a posteridade", PZA.
VELUDO, "Toda a vida", ALP.
VENEZA, "Futurismo em Veneza", TR.
VERÃO, "Amores de verão", em *O Estado de S. Paulo*, (sem data).
VERDADE, "Versões", OANB.
VERDE, "Nojo seletivo", *O Estado de S. Paulo*.
VERSÕES, "A versão dos afogados", VA.
VESTIBULAR, "O flagelo do vestibular", MCLE.
VESTUÁRIO, "Manifesto sexual", MS.
VEXAME, "Da timidez", CLE.
VIAGEM, "Inveja", VA.

VICE-CAMPEONATO, "Vices", VA.
VÍCIOS, "Bernardo, Bernardo", CVPU.
VIDA, "A Vida, a Morte etc.", PI.
VIDA ETERNA, "A Vida, a Morte etc.", PI.
VIDA SEXUAL, "Sexo, sexo, sexo", AV.
VIETNÃ, "Autoconhecimento", CVPU.
VILÕES, "Intelectual no poder", BD.
VINGANÇA, "Saudade do Ted Boy Marino", em O Globo, 26 jan. 2012.
VINHO, "Regras", MV.
VINHO ROSÉ, "Vinhos", MV.
VIOLÊNCIA, "Indecência", CVPU.
VÍRGULA, OE.
VIRTUDE, "Check-up", MHC.
VIZINHANÇA, "Vizinhos", CBV.
VIZINHAS, "Conto de verão nº 4: quando ela aparecer", CBV.
VOCAÇÃO, "Sonho", PZA.
VODCA, "As três irmãs de Vgs", MDP.
VOLTAR, PI.
VOTO, "Darwin desmentido", em O Globo, 29 nov. 2015.

W, "Alfabeto", em O Estado de S. Paulo, (sem data).
WASSABI, TJ, Cap. "Jyushi".
WATERLOO, "Festa de aniversário", ORG.
WOODSTOCK, "Bretton Woodstock", BD.
WOODY ALLEN, "Woody Allen e as lamúrias da existência", BD.

XADREZ, "A era dos centauros", TS.
XINGAMENTO, "Confissões", ORG.
XIXI, "O cinema e eu", BD.

Y, "ABCDEtc. (2)", em *O Estado de S. Paulo*, (sem data).

Z, Crônica "Alfabeto", em *O Estado de S. Paulo*, (sem data).
ZAGALLO, "Zagallo e a posteridade", PZA.
ZAGUEIRO, "O fim de um mito", PZA.
ZICO, "Gaúchos e cariocas", CVP.
ZIDANE, entrevista ao jornal *O Globo*, 29 out. 2015.
ZODÍACO, "Autoentrevista", VT

REFERÊNCIAS BIBLIOGRÁFICAS

CASTRO, Ruy (Org.). *O melhor do mau humor*. São Paulo: Companhia das Letras, 1989.
_____. *O amor de mau humor*. São Paulo: Companhia das Letras, 1991.
_____. *O poder de mau humor*. São Paulo: Companhia das Letras, 1993.
CONY, Carlos Heitor et al. *Cadernos de literatura brasileira: Carlos Heitor Cony*. São Paulo: Instituto Moreira Salles, 2001.
FONSECA, Joaquim; VERISSIMO, Luis Fernando. *Traçando Japão*. Porto Alegre: Artes & Ofícios, 1995.
_____. *Traçando Madrid*. Porto Alegre: Artes & Ofícios, 1997.
_____. *Traçando New York*. Porto Alegre: Artes & Ofícios, 1999.
_____. *Traçando Paris*. Porto Alegre: Artes & Ofícios, 1997.
_____. *Traçando Porto Alegre*. Porto Alegre: Artes & Ofícios, 2009.
_____. *Traçando Roma*. Porto Alegre: Artes & Ofícios, 1998.
OSTERMANN, Ruy Carlos (Org.). *Encontros com o professor: Cultura brasileira em entrevista*. v. 1. Porto Alegre: Tomo, 2006.
PAIVA, Miguel; VERISSIMO, Luis Fernando. *Ed Mort com a mão no milhão*. Porto Alegre: L&PM, 1997.
_____. *Ed Mort procurando o Silva*. Porto Alegre: L&PM, 1997.
SOARES, Jô; VERISSIMO, Luis Fernando; FERNANDES, Millôr. *Humor nos tempos do Collor*. Porto Alegre: L&PM, 1992.
VERISSIMO, Luis Fernando et al. *Crônicas de amor*. Goiás: Ceres, 1990.

VERISSIMO, Luis Fernando; RODRIGUES, Glauco. *O arteiro e o tempo*. São Paulo: Berlendis & Vertecchia, 2006.
VERISSIMO, Luis Fernando; VENTURA, Zuenir. *Conversa sobre o tempo*: Com Arthur Dapieve. Rio de Janeiro: Agir, 2010.
VERISSIMO, Luis Fernando. "Apresentação". In: FONSECA, Juarez. *Ora bolas: O humor de Mario Quintana*. Porto Alegre: L&PM, 2006. (Coleção L&PM Pocket).
VERISSIMO, Luis Fernando. "O sentimento do jogo". In: SAAVEDRA, Carola; VERISSIMO, Luis Fernando. *Torcedor*. Rio de Janeiro: 7Letras, 2008.
VERISSIMO, Luis Fernando. "O toureiro". In: FERNANDES, Millôr. *Tempo e contratempo*. São Paulo: Companhia das Letras, 2014.
VERISSIMO, Luis Fernando. "Prefácio". In: MÁXIMO, João; CASTRO, Marcos de. *Gigantes do futebol brasileiro*. Rio de Janeiro: Civilização Brasileira, 2011.
VERISSIMO, Luis Fernando. *As Cobras: Antologia definitiva*. Rio de Janeiro: Objetiva, 2010.
_____. *As Cobras & outros bichos*. Porto Alegre: L&PM, 1977.
_____. *As Cobras do Verissimo*. Rio de Janeiro: Codecri, 1979.
_____. *As Cobras em: Se Deus existe que eu seja atingido por um raio*. Porto Alegre: L&PM, 1997.
_____. *As Cobras*. São Paulo: Salamandra, 1987.
_____. *A décima segunda noite*. Rio de Janeiro: Objetiva, 2006.
_____. *A eterna privação do zagueiro absoluto*. Rio de Janeiro: Objetiva, 1999.
_____. *A grande mulher nua*. Porto Alegre: L&PM, 1999.
_____. *A mãe do Freud*. Porto Alegre: L&PM, 1985.
_____. *A mesa voadora*. São Paulo: Globo, 1982.
_____. *A mesa voadora*. Rio de Janeiro: Objetiva, 2001.

_____. *A mulher do Silva*. Porto Alegre: L&PM, 2000. (Coleção L&PM Pocket).
_____. *A velhinha de Taubaté*. Porto Alegre: L&PM, 1998.
_____. *América*. Porto Alegre: Artes & Ofícios, 1994.
_____. *Amor brasileiro*. Porto Alegre: L&PM, 1987.
_____. *Amor verissimo*. Rio de Janeiro: Objetiva, 2014.
_____. *Aquele estranho dia que nunca chega*. Rio de Janeiro: Objetiva, 1998.
_____. *As mentiras que as mulheres contam*. Rio de Janeiro: Objetiva, 2015.
_____. *As mentiras que os homens contam*. Rio de Janeiro: Objetiva, 2000.
_____. *Banquete com os deuses*. Rio de Janeiro: Objetiva, 2003.
_____. *Borges e os orangotangos eternos*. São Paulo: Companhia das Letras, 2000.
_____. *Comédias brasileiras de verão*. Rio de Janeiro: Objetiva, 2009.
_____. *Comédias da vida privada*. Porto Alegre: L&PM, 1994.
_____. *Comédias da vida pública: 266 crônicas datadas*. Porto Alegre: L&PM, 1995.
_____. *Comédias para se ler na escola*. Rio de Janeiro: Objetiva, 2010.
_____. *Diálogos impossíveis*. Rio de Janeiro: Objetiva, 2012.
_____. *Ed Mort & outras histórias*. Porto Alegre: L&PM, 1996.
_____. *Em algum lugar do paraíso*. Rio de Janeiro: Objetiva, 2011.
_____. *Histórias brasileiras de verão*. Rio de Janeiro: Objetiva, 1999.
_____. *Internacional, autobiografia de uma paixão*. Rio de Janeiro: Ediouro, 2004.
_____. *Luis Fernando Verissimo: Quando a lucidez não perde a graça*. Porto Alegre: Mecenas, 2013.

_____. *Mais comédias para ler na escola*. Rio de Janeiro: Objetiva, 2008.
_____. *Novas comédias da vida privada*. Porto Alegre: L&PM, 1997.
_____. *Novas comédias da vida pública: A versão dos afogados: 347 crônicas datadas*. Porto Alegre: L&PM, 1998.
_____. *O analista de Bagé*. Porto Alegre: L&PM, 1981.
_____. *O clube dos anjos [Gula]*. Rio de Janeiro: Objetiva, 2002. (Coleção Plenos Pecados).
_____. *O gigolô das palavras*. Porto Alegre: L&PM, 1997.
_____. *O marido do doutor Pompeu*. Porto Alegre: L&PM, 1987.
_____. *O mundo é bárbaro: E o que nós temos a ver com isso*. Rio de Janeiro: Objetiva, 2008.
_____. *O opositor*. Rio de Janeiro: Objetiva, 2004.
_____. *O rei do rock*. São Paulo: Globo, 1996.
_____. *O suicida e o computador*. Porto Alegre: L&PM, 1992.
_____. *Orgias*. Rio de Janeiro: Objetiva, 2005.
_____. *Os espiões*. Rio de Janeiro: Objetiva, 2009.
_____. *Os últimos quartetos de Beethoven e outros contos*. Rio de Janeiro: Objetiva, 2013.
_____. *Outras do analista de Bagé*. Porto Alegre: L&PM, 1986.
_____. *Pai não entende nada*. Porto Alegre: L&PM, 1997.
_____. *Peças íntimas*. Porto Alegre: L&PM, 1992.
_____. *Poesia numa hora dessas?!* Rio de Janeiro: Objetiva, 2010.
_____. *Sexo na cabeça*. Porto Alegre: L&PM, 1980.
_____. *Sexo na cabeça*. Rio de Janeiro: Objetiva, 2002.
_____. *Time dos sonhos*. Rio de Janeiro: Objetiva, 2010.
_____. *Todas as histórias do analista de Bagé*. Rio de Janeiro: Objetiva, 2002.
_____. *Tubarão, parte II*. Porto Alegre: L&PM, 1976.
_____. *Zoeira*. Porto Alegre: L&PM, 1998.

TIPOGRAFIAS Solido, Ines
PAPEL Pólen Bold
DIAGRAMAÇÃO Alceu Chiesorin Nunes
GRÁFICA R.R. Donnelley
Setembro de 2016

FSC
www.fsc.org
MISTO
Papel produzido
a partir de
fontes responsáveis
FSC® C101537

A marca FSC é a garantia de que a madeira utilizada na fabricação do papel deste livro provém de florestas que foram gerenciadas de maneira ambientalmente correta, socialmente justa e economicamente viável, além de outras fontes de origem controlada.